Bibliotheek
Bos en Lo
1055 EK
Tel.: 020 -

D0831128

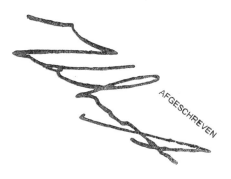

AFGESCHREVEN

Paniek in Ploenk

Lees ook van Henk Hardeman:

Het zwarte vuur
De prinses van Ploenk
De bastaard van de hertog
Het rijtjespaleis
Zebedeus en het zeegezicht
De pirate van Ploenk
De schaduw van Zwarterik

www.saskiahalfmouw.nl

www.henkhardeman.nl

www.uitgeverijholland.nl

Henk Hardeman

Paniek in Ploenk

*Met tekeningen
van Saskia Halfmouw*

Uitgeverij Holland – Haarlem

Kinderjury 2010

Omslagtypografie: Ingrid Joustra
Omslag en illustraties: Saskia Halfmouw

Alle rechten voorbehouden. Niets uit deze uitgave mag worden verveelvoudigd,
opgeslagen in een geautomatiseerd gegevensbestand, of openbaar gemaakt,
in enige vorm of op enige wijze, hetzij elektronisch, mechanisch, door fotokopieën,
opnamen, of enige andere manier, zonder voorafgaande schriftelijke
toestemming van de uitgever.

© Henk Hardeman, 2009

ISBN 978 90 251 1096 3
NUR 282

Inhoud

Voor Alexander Osten,
vriend van vroeger en nu

Vooraf

 Niet ver van de Paarse Zee, ingeklemd tussen Lamaarwaaie en Ghamarije, ligt in een diep dal het kleine koninkrijk Ploenk. Sinds mensenheugenis worden er in Ploenk alleen maar prinsessen geboren, dus aan koninginnen geen gebrek. Omdat het lastig was steeds weer aan een nieuwe koning te komen, liet een van de koninginnen ooit een Hele Hoge Toren bouwen. De prinses van Ploenk moest overdag in de toren zitten en de prins die haar daaruit bevrijdde, mocht met haar trouwen en de oude koning opvolgen. Maar de prinses mocht niet helpen, ze moest het de prins juist zo moeilijk mogelijk maken. De Hele Hoge Toren is er nu niet meer. Toen de oude koningin na een mislukt vals plannetje de benen nam, samen met haar geniepige lakei Lodewijk, is de toren afgebroken. Haar dochter Theetje is nu de koningin van Ploenk. Theetjes tweelingzusje Kaatje maakt verre reizen met Joram de Jolige en zijn vrolijke roversbende. Theetjes verstrooide vader is nog steeds de koning, maar hij vindt puzzelen stukken leuker dan regeren. Dus doet Theetje dat, geholpen door haar raadsheer Ouwe Bram, ooit een van Jorams rovers.

Op het moment dat dit verhaal begint, keren Theetje, Kaatje, Joram en Ouwe Bram na maanden te zijn weg geweest van Ploenk, terug van een spannend avontuur in het Verre Oosten.

I

Gefluister in het duister

'Auw!'

Een gestalte in monnikspij schuifelde door een smalle, duistere gang. De kaars in zijn hand wierp grillige schaduwen op de muren. De kap van de pij hing ver over zijn gezicht, want niemand mocht weten wie hij was. Alleen kon hij zo niet goed zien waar hij liep, en bonsde hij ondanks de kaars herhaaldelijk tegen een muur. Zoals nu.

Af en toe streken stoffige webben langs zijn kap, die hij met walging wegsloeg. Deze gangen waren al heel lang niet meer gebruikt. Alleen de Zwarte Dame wist ervan. En hij nu ook. Voor zover ze het dan had willen vertellen, want volgens hem hield ze dingen achter.

'Bliksem!' riep hij. 'Waar is die verdraaide deur gebleven? Auw!'

Weer een dreun. Ditmaal tegen hout.

Dáár was de deur. Eindelijk!

De gestalte wreef over zijn pijnlijk getroffen neus. En terwijl hij dat deed, doofde de kaars. 'Ook dat nog!' Hij klopte viermaal op de deur – twee keer zacht en twee keer hard. Het afgesproken signaal.

'Binnen!' snauwde een vrouwenstem.

Hij duwde de deur open en betrad een donker vertrek. Toen sloeg hij de kap naar achteren en knipperde met zijn ogen, maar de duisternis bleef ondoordringbaar. 'Waar bent u?'

'Hier!' klonk het zacht maar ongeduldig.

'Waar?'

Op hetzelfde moment liep hij tegen iets zachts aan dat razend en tierend omviel. Hij molenwiekte met zijn armen om zijn evenwicht te bewaren en knalde er toen bovenop.

'Uilskuiken!' brieste de ander, die zich onder hem uit wurmde. 'Wij worden omringd door sukkels, onbenullen en nietsnutten! Moeten wij dan werkelijk álles alleen doen?'

'Verschoning, ma... eh Zwarte Dame,' verbeterde hij zichzelf. 'Maar mijn vlammetje ging uit en nu zie ik niets.'

'Al was het klaarlichte dag, dan nóg zag jij niets! En natuurlijk is het hier donker, onze plannen moeten in het diepste geheim worden uitgebroed. Als Frederik en Ferdinand ontdekken wie we zijn en wat we willen, is alles voor niets geweest!'

Er klonk het geluid van een lucifer die werd afgestreken en het volgende moment brandde er een lichtje in een lantaarntje dat de Zwarte Dame in haar ene hand hield. Ook zij was gekleed in een pij, met een kap ver over haar gezicht getrokken.

'Je bent laat, Zwarte Loper,' ging ze nu op iets zachtere toon verder. 'Wij hopen voor jou dat jij je opdracht hebt uitgevoerd.'

'Ja, Zwarte Dame, maar om de mensen aan de praat te krijgen was er nogal wat drank nodig. Maar eerst heb ik een eh vraagje, als u mij toestaat.'

'Een vraagje?' herhaalde de Zwarte Dame met een stem waar de kilte van afdroop.

'Ja. Zou ik wellicht, met uw permissie, een andere schuilnaam mogen? Zwarte Toren, bijvoorbeeld? De toren is een stuk belangrijker in het schaakspel dan een loper, als u begrijpt wat ik bedoel.'

'Zwarte Loper is voor jou goed genoeg. En nu willen wij je verslag!' De Zwarte Dame zette de lantaarn op een tafel en ging op een krukje zitten.

'Natuurlijk, uwe... eh Zwarte Dame. Ik heb mijn oor te luisteren gelegd in café de Koppige Kater, op de markt en bij de wasplaats, zoals u had bevolen. De onvrede neemt toe, met uw welnemen. De bevolking zucht onder de nieuwe heersers en...'

'Maar behalve zeuren en zaniken doen ze zeker niets?'

'Inderdaad.'

'Dáchten wij het niet?' De Zwarte Dame sloeg met haar vuist op tafel. 'Het volk was altijd al liever lui dan moe, en met dat nieuwe

koninginnetje is het natuurlijk alleen nog maar erger geworden.'
Ze zuchtte diep. 'Wie laat er nu ook haar land achter in de handen
van iemand die zijn vingers vol heeft aan puzzelstukken? Het is de
hoogste tijd dat een sterke vrouw de leiding neemt.' Ze ging staan
en stak haar rechterarm met gebalde vuist de lucht in. 'Wíj zijn er
klaar voor!'
'Wat u zegt.' Zwarte Loper stak ook een arm omhoog. 'Wij zijn er
klaar voor, Zwarte Dame!'
'Wij hadden het over onszelf, niet over jou. En schreeuw niet zo!
De hele wereld kan meegenieten!' Ze zweeg even en ging weer zitten. 'En?' vroeg ze toen op gedempte toon. 'Zitten er tussen dat stelletje lapzwansen lieden die ons willen helpen het koninkrijk te
ontzetten?'
'Ik heb hier en daar mijn voelhorens uitgestoken, om het zo maar
eens uit te drukken. Een balletje opgegooid, als het ware, tenein-
de...'
'En?' vroeg de Zwarte Dame opnieuw. Het was duidelijk dat haar
geduld in een rap tempo begon op te raken. 'Voor de dag ermee!'
'Nou, zeker negen van hen willen zich aansluiten bij het verzet.'
'Negen?' klonk het misprijzend. 'Nou ja, het is een begin. Hebben
ze wapens?'
'Wapens?' Zwarte Loper schraapte zijn keel. 'Ja, dat is te zeggen...'
begon hij aarzelend. 'Ze hebben met z'n allen drie hooivorken,
twee scheppen, drie harken, een riek, een deegroller, een dorsvle-
gel, een zeis en een eh... vliegenmepper.'
Het bleef een tijdje stil. 'Een vliegenmepper?'
'Het is een hele stevige,' zei Zwarte Loper zwakjes.
'Geweldig,' zei de Zwarte Dame, al klonk het niet alsof ze het
meende. 'We trekken ten strijde met deegrollers en vliegenmeppers!'
'Zwarte Dame, met alle respect, maar kunt u wellicht uw stem een
beetje...'
'Alsof we tegen deegslierten en insecten gaan vechten!'
'... dempen?'

'Ga terug.' Met een priemende vinger wees ze naar de deur. '*Directement*, en zeg tegen die lieden dat ze zich om middernacht verzamelen bij de gedempte put onder aan de paleisheuvel. Ze dienen erop te letten dat ze niet gevolgd worden.'

'Onmiddellijk, Zwarte Dame!'

'En laat hen iets aantrekken waardoor ze niet herkend kunnen worden. Wij zullen een krachtige toespraak houden, een vurige oproep om het verzet te steunen!'

'Is dat wel verstandig, Zwarte Dame?' vroeg Zwarte Loper voorzichtig. 'Ik hoop dat u het mij niet kwalijk neemt, maar wellicht herkent men uw stem en dan…'

'Wij zullen onze stem verdraaien, zodanig dat geen mens weet wie wij zijn.'

'En eh…'

'Wat verder nog!'

'Met alle respect, maar u moet *ik* zeggen in plaats van *wij*. Anders…'

'Ja ja! Wij zijn niet van gisteren.'

'En u moet niet al te ingewikkelde woorden gebruiken, want dat begrijpt het volk niet. En zeker geen Frans.'

'Anders nog iets, Zwarte Loper?'

'Ik dacht het niet, Zwarte Dame.'

'Mooi. Dan gaan wij ons thans in alle stilte voorbereiden op de bevrijding van het koninkrijk. Alle indringers zullen worden verdreven en Ploenk zal van ons zijn. Van óns alleen!!'

II

Boven de muur

Een kleine maand later zwoegde een klein gezelschap omhoog over een smal pad tussen twee bergen. Voorop gingen twee meisjes, die samen op de rug van een vurige, zwarte merrie zaten. Ze hadden allebei blauwe ogen en lang, donkerrood haar. Ook verder leken ze sprekend op elkaar, al droeg de voorste stoere mannenkleren en laarzen, en de achterste een hemelsblauwe japon en vergulde muiltjes. Op haar hoofd wiebelde een kroontje.

Ze werden gevolgd door een vrolijk ogende jongeman met een gladgeschoren gezicht en lange blonde haren, die deels schuilgingen onder een rovershoed met een stoere pluim. Aan zijn riem hing een zwaard en hij bereed een prachtige, witte merrie. Achter hem reed als laatste een forse kerel met een baard, die voortdurend zijn bokkige ezel aan moest sporen.

'Is het nog ver, Kaatje?' kreunde het meisje met het kroontje. 'Ik stik zowat in die japon! En Koppige Kaatje hobbelt zo!'

Het meisje vóór haar zuchtte geërgerd. 'De grónd is hobbelig. En waarom heb je dat stomme ding dan ook aangetrokken, Theetje? Je had veel beter je broek en je laarzen aan kunnen houden.'

'Ja, maar als we Ploenk binnenkomen, moet ik eruitzien als een echte koningin. Niet als een… nou ja, als een struikrover.'

'Hoezo?' zei Kaatje snibbig. 'Wat is er mis met struikrovers?'

'Eh…niks. Helemaal niks.' Theetje haalde haar schouders op. 'Maar anders zien ze misschien niet dat ik het ben.'

'Dat zien ze heus wel, hoogheid!' zei de jongeman achter haar. Hij wapperde zichzelf koelte toe met zijn hoed en drukte hem toen weer op zijn hoofd. 'Zo gauw vergeet het volk van Ploenk zijn koningin niet, hoor!'

'Maar we zijn zo lang weg geweest, Joram,' begon Theetje. 'Misschien denken ze wel dat we nooit meer terugkomen…'

'Zeg, zijn we d'r al bijna?' bromde de forse gestalte op de ezel. 'Dit koppige stuk vreten stopt bij elke struik!'

'Nog even geduld, Ouwe Bram,' zei Joram. 'We zijn dadelijk boven en dan kun je Ploenk in volle glorie aanschouwen!'

Ze reden een tijdje in stilte verder tot Theetje en Kaatje als eerste bovenkwamen. Hiervandaan hadden ze een prachtig uitzicht op het kleine koninkrijk, dat diep in het dal onder hen lag. Midden in Ploenk, boven op een eenzame heuvel, en omringd door een uitgestrekt woud, lag het koninklijk paleis te baden in de late middagzon.

Theetje wees ernaar en glimlachte. 'Vader is vast weer in de troonzaal aan het puzzelen. Hij zal wel blij zijn met de puzzel die we voor hem gekocht hebben op de markt in Oesbadoer.'

Kaatje trok een gezicht. 'Laten we hopen dat er geen vervelende dingen zijn gebeurd terwijl jij en Ouwe Bram weg waren, Theetje. Als vader puzzelt, vergeet-ie alles om zich heen.'

'Je weet dat ik de adjudant heb gevraagd in de tussentijd op het koninkrijk te passen,' zei Theetje. 'Dat heeft-ie vast wel goed gedaan. Toch?' voegde ze er wat onzeker aan toe.

Joram grijnsde. 'Zo ingewikkeld kan het toch niet zijn om zo'n klein koninkrijk te besturen?'

'Dat valt nog vies tegen,' zei Ouwe Bram, die zijn nukkige ezel inmiddels ook boven had weten te krijgen. 'Mensen vliegen elkaar vaak in de haren om niks, en dan moet Theetje eraan te pas komen om de boel weer te sussen.' Hij kon het weten, want hij was de raadsheer van de koningin.

Ouwe Bram steeg af en de anderen volgden zijn voorbeeld. Ze waren stijf geworden van de lange rit en strekten hun armen en benen.

'Welke van de twee is ook alweer Ghamarije?' Joram knikte naar de linkerberg, waar een paleis bovenop stond dat sprekend leek op een suikertaart met slagroom. 'Die daar?'

Kaatje schudde haar hoofd. 'Nee, da's Lamaarwaaie, het rijk van kroonprins Frederik, bijgenaamd de Vadsige. Ze noemen hem ook wel *Prins Vreterik*. En dat andere misbaksel,' zei Kaatje, wijzend naar een hoekig, grauw bouwwerk boven op de rechterberg, 'is het paleis van Ferdinand, de kroonprins van Ghamarije.'

'Heeft hij ook een bijnaam?' informeerde Joram nieuwsgierig.

Kaatje knikte. 'Ferdinand de Valse.'

'Hm, klinkt niet best.'

'Waarom zijn die twee nog steeds kroonprinsen?' vroeg Ouwe Bram. 'Zo jong zijn ze volgens mij niet meer, en die ouwe koningen van Lamaarwaaie en Ghamarije zijn toch allang de pijp uit?'

'Dat waren ze al voordat Theetje en ik geboren werden,' zei Kaatje. 'Geen idee. Ik ken ze in elk geval niet anders dan als kroonprinsen.' Er verscheen een rimpel in haar voorhoofd. 'Het rare is dat hun vaders ook kroonprinsen waren. Ze zijn nooit koningen geworden, bedoel ik.'

Theetje slaakte een zucht.

Joram keek haar bezorgd aan. 'Wat is er, hoogheid? Ben je niet blij dat je Ploenk weer terugziet na al die maanden?'

'Ja, dát wel...' Ze zuchtte opnieuw. 'Maar ik moet opeens denken aan alle cadeaus die er op me liggen te wachten. De Hele Lange Tafel in de eetzaal zal inmiddels wel doorbuigen onder het gewicht van alle fondanten harten, bloemstukken, nepjuwelen, en wat Frederik en Ferdinand me verder allemaal gestuurd hebben. En er liggen natuurlijk ook stapels liefdesverklaringen. Die ze niet eens zelf hebben geschreven,' voegde ze er schamper aan toe. 'Want dat doen hun hofdichters voor ze.'

'Die twee snappen nou toch wel dat je nooit met ze zult trouwen?'

'Ik weet het niet, Kaatje. Ik ben wel eens bang dat er nooit een einde zal komen aan hun aanzoeken.'

'Er is maar één ding wat je kunt doen, zusje...' Kaatje gaf haar een knipoog. 'Zélf trouwen!'

'Ha ha, leuk hoor.'

'Kaatje heeft wel een beetje gelijk, hoogheid,' zei Joram. 'Als je eenmaal getrouwd bent, moeten ze het wel opgeven. Je kunt immers niet twee keer trouwen. Behalve als je een sultan bent, natuurlijk.'

'Maar ik heb helemaal nog geen zin om te trouwen!' zei Theetje opeens fel. 'En misschien krijg ik wel nooit zin ook! Bovendien, waar haal ik zo gauw een prins vandaan? Een *leuke* prins?'

Het was even stil.

Toen slaakte Ouwe Bram een rauwe kreet.

'Wat is er?' vroeg Joram.

Terwijl de rest aan het praten was, had Theetjes raadsheer ingespannen door een kijker staan turen. Hij gaf hem nu aan Joram. 'Kijk zelf maar,' zei hij met een grauw gezicht. 'Doordat al die bomen eromheen staan, kun je het van veraf niet zien, maar door de kijker wel...'

Joram keek. Zijn gezicht betrok en hij gaf de kijker zonder iets te zeggen door aan Kaatje.

Kaatje keek een tijdje en verbleekte.

'Wat is er aan de hand?' vroeg Theetje op hoge toon. 'Wat kijken jullie allemaal raar. Is er iets mis? Is het paleis ingestort of zo?'

'Veel erger,' zei Kaatje zacht.

'Erger? Laat zien!' Theetje griste de kijker uit haar handen. Haar blik gleed over het dal. Eerst begreep ze niet waar iedereen zich druk over maakte, maar toen zag ze het. Haar adem stokte.

Er liep een meer dan manshoge muur door Ploenk, die het kleine koninkrijk in twee gelijke helften verdeelde. De muur liep van de ene kant van het dal tot aan de andere, ging de paleisheuvel op en sneed dwars door het koninklijke bouwwerk heen.

Theetje liet de kijker vallen. 'Een muur!' riep ze. 'Iemand heeft een muur gebouwd, midden in Ploenk! En de slotgracht is dichtgegooid!'

'Wie doet nou zoiets?' zei Joram. 'En waarom?'

Kaatje knikte. 'Dat wil ik ook wel eens weten!'

Theetje klom op de zwarte merrie. 'Kom op! We gaan er onmiddellijk naartoe, Kaatje! Dit kán toch niet!'

'Ho effe, hoogheid!' Ouwe Bram greep het paard bij de teugels voordat Theetje het dier aan kon sporen. 'Ik vind het heel dapper van je, maar laten we geen overhaaste dingen doen.'

'Overhaaste dingen? Hoezo overhaaste dingen?' Theetje probeerde de teugels uit zijn handen te trekken, maar zijn greep was te stevig.

'Zolang we niet weten wat er aan de hand is,' zei Joram, 'is het niet veilig voor jou of Kaatje om naar Ploenk te gaan.' Er verscheen een denkrimpel in zijn voorhoofd. 'Wie die muur ook heeft neergezet, heeft dat vast niet met goede bedoelingen gedaan. En wie weet wat ze doen als ze jullie in handen krijgen…'

'Maar wat moeten we dan?' zei Kaatje ongeduldig. 'Theetje heeft gelijk! We kunnen hier toch niet blijven wachten tot dat ding vanzelf instort?'

Joram schoof zijn hoed naar achteren en krabde op zijn hoofd. Toen keek hij naar Ouwe Bram. 'Jammer genoeg is onze roversbende in Oesbadoer gebleven om daar de bloemetjes buiten te zetten, anders hadden we Ploenk met z'n allen binnen kunnen rijden. We zullen het nu slinkser aan moeten pakken.'

Ouwe Bram knikte. 'Hoe dan, baas?'

'We wachten tot het donker is,' zei Joram. 'Dan gaan jij en ik kijken wat er in Ploenk aan de hand is.'

'En wij dan?' vroeg Theetje. Haar boosheid was gezakt en nu was ze een beetje bang om alleen achter te blijven.

Kaatje sloeg een arm om haar heen. 'Wij blijven bij elkaar, zusje.' Ze keek naar Joram. 'Wat spreken we af?'

'Zodra Ouwe Bram en ik weten waarom die muur er staat, komen we naar jullie toe,' zei Joram. 'En dan maken we een plan.' Hij klopte op de flanken van het witte paard dat luidruchtig hinnikte als antwoord. 'Ik laat Globetrotter bij jullie. Bij het eerste teken van gevaar springen jullie op de paarden en gaan ervandoor. Terug naar Oesbadoer om de mannen op te halen.'

Kaatje zette haar handen in haar zij. 'En jullie in de steek laten? Niks ervan!'

Joram wilde tegen haar ingaan, maar Ouwe Bram legde een hand op zijn arm. 'De hoogheden kunnen ons veel beter helpen als ze hier blijven, baas. Voordat ze in Oesbadoer zijn, is er alweer een maand voorbij.'

Joram knikte. 'Goed dan, maar wees voorzichtig.'

Kaatje en Theetje knikten ernstig.

'Geen uitstapjes op eigen houtje.'

'Nee, baas,' zei Kaatje.

Joram zag niet dat ze haar vingers achter op haar rug gekruist hield.

III

Spionnen en soldaten

Het was avond toen twee schaduwen door Ploenk slopen. In Ploenk staan niet veel huizen, omdat er maar weinig mensen wonen. Het grootste deel van het koninkrijk bestaat uit bos, beter bekend als het Woelige Woud. Omdat ze niet wilden opvallen, waren Joram en Ouwe Bram meteen het bos in geglipt, waar het nog donkerder was dan in de rest van Ploenk.

Ze liepen van boom naar boom. Af en toe stonden ze stil en keken om zich heen, dan knikten ze naar elkaar en gingen weer verder. Tot er uit het donker een lantaarn opdoemde van een soldaat die zijn ronde deed, en ze haastig achter een grote eik wegdoken om met ingehouden adem te wachten tot het gevaar geweken was.

'Het wemelt hier van de wachters, baas!' fluisterde Ouwe Bram tegen Joram, toen er opnieuw een soldaat was opgedoken. 'D'r zijn er haast nog meer dan bomen. We hadden beter onze wapens mee kunnen nemen.'

'Ja, tis hier duidelijk niet pluis,' fluisterde Joram. 'Maar geen zorgen, ik heb iets bij me wat veel beter is dan een wapen. En je hoeft er niemand voor te verwonden, want je weet dat ik daar een hekel aan heb.' Hij klopte op een kleine jutezak die hij bij zich droeg. 'We moeten iemand vinden die ons kan vertellen wat er gebeurd is.' Joram wees naar een huisje, dat een eindje verder op een open plek stond. Achter een klein raam brandde een kaars. 'Zullen we het daar maar eens proberen?'

Ouwe Bram knikte.

Ze wachtten tot de soldaat weer in het duister was opgelost. Toen kwamen ze achter een grote struik vandaan en liepen op hun tenen in de richting van het verlichte raampje.

Ze waren halverwege toen er een barse stem klonk. 'Halt! Wie gaat daar?!'

'Zie je wel,' fluisterde Ouwe Bram. 'Je kunt geen stap zetten of d'r is er weer eentje. Als een duveltje uit een doosje.'

Voor hen stond een magere man met een helm op zijn hoofd. Hij hield een donderbus in zijn ene hand en een lantaarn in de andere. De man bekeek hen achterdochtig. 'Wat doen jullie hier? Na acht uur mag niemand meer naar buiten. Het is vijf over acht.'

'Dank u, wij vroegen ons net af hoe laat het was.' Joram nam beleefd zijn hoed met pluim af en zwaaide er zwierig mee. 'Excuses voor de overtreding, maar wij komen van ver. Kunt u ons zeggen waar we zijn?'

'Jullie zijn in Lamaarwaaie,' snauwde de soldaat. 'Waar anders?'

Ouwe Brams mond viel open. 'Lamaarwaaie? Maar dit is toch...?'

Joram legde hem met een snelle blik het zwijgen op. 'Hartelijk dank voor de informatie, beste kerel. En waar is de plaatselijke herberg? We verlangen naar een warme maaltijd, een zacht bed, en...'

'Ha!' zei de soldaat. 'Dat zachte bed ken je wel vergeten! Dat wordt een stenen vloer, met een beetje stro als je geluk hebt. En misschien is er nog wel een malse rat ook, maar de vraag is wie wie gaat opeten!' Hij floot op zijn vingers en er kwam een andere soldaat aangerend.

'Tisser, Dokus?' hijgde de man.

'Sla deze twee in de boeien, Rokus, ze overnachten in de kerker. Ik durf te zweren dat het spionnen zijn van TOP.'

'TOP?' herhaalde Ouwe Bram. 'Wat is TOP?'

'Wedden dat jullie ons daar vanavond alles over gaan vertellen?' zei Dokus met een valse grijns.

Joram had intussen iets uit de jutezak gehaald. Het was een aardewerken kruik. Hij trok de kurk eruit en wilde hem aan zijn mond zetten.

'Hola, wat hebbie daar?' Rokus griste de kruik uit zijn vingers, keek argwanend in de opening en rook er toen aan.

Joram glimlachte.

'O, ik wou even een slokje nemen. Vanwege de spanningen en zo. Het is rustgevend.'

'Rustgevend huh? Nou, dat ken ik wel gebruiken met m'n drukke baan.' De soldaat nam voorzichtig een slokje.

'Hee baas,' protesteerde Ouwe Bram. 'Da's m'n zelfgestookte jajem!'

'Sorry, ouwe jongen, het is voor het goede doel.'

Ouwe Bram keek hem niet-begrijpend aan.

Rokus had intussen een paar flinke teugen genomen. Hij liet een boer en gaf de kruik door aan zijn collega. 'Goed spul, Dokus. Pittige afdronk.'

Dokus keek bedenkelijk, maar nam toch een slokje. 'Lekker,' beaamde hij en klokte de drank toen helemaal achterover. Hij veegde zijn mond af met zijn mouw en knikte naar Ouwe Bram en Joram. 'En nou naar de bajes met die twee. Sla ze in de boeien!'

Rokus zocht naar de boeien, maar zijn bewegingen werden trager en trager. Hij gaapte en kreunde vermoeid. 'Gelukkig zit m'n wacht er haast op, Dokus, ik val bijna van m'n stokkie.'

'Watje,' zei Dokus afkeurend. Maar ook hij moest opeens vreselijk geeuwen; zijn mond ging bijna niet meer dicht.

'Komt door de avondlucht, heren,' zei Joram. 'Niets is zo bevorderlijk voor een goede nachtrust als een avondwandeling. Wat jij, Ouwe Bram?' Hij gaf zijn vriend een knipoog.

'Die drank,' sprak Rokus met dikke tong, terwijl hij naar zijn collega wankelde. 'Er zat iets in die dr...'

Dokus ving hem op en toen zakten de soldaten in elkaars armen hangend omlaag. Nog voor ze de grond raakten, waren ze luid aan het snurken.

Joram grijnsde. 'Ik zei toch dat het rustgevend was?'

'Heb je er een slaapmiddel in gedaan?' vroeg Ouwe Bram ongelovig. 'In mijn kostelijke jajem?'

'Je krijgt een nieuwe kruik van me, een volle. Zodra de winkels opengaan. En nu als de bliksem naar dat huis, voordat ze weer een blik soldaten opentrekken.'

Mopperend rende Ouwe Bram achter hem aan.

Joram klopte op de verveloze voordeur. Na tien keer kloppen, ging hij eindelijk op een kiertje. Een bleek gezicht tuurde naar buiten. 'Wat doen jullie hierbuiten? Het is allang acht uur geweest! Ga weg!'

'Laat ons binnen,' fluisterde Joram. 'Het is belangrijk.'

'Ga weg!' zei de man weer. 'Gauw gauw! Voordat ze jullie zien. De soldaten... ze zullen ons...'

Er verscheen nog een stel ogen in de deuropening, slimme oogjes die groot werden toen ze Ouwe Bram opmerkten. 'Stoffel!' zei een vrouwenstem. 'Da's de raadsheer van koningin Theodora!'

Een vlezige hand trok de man opzij en sleurde hen toen naar binnen. De deur werd met een klap achter hen dichtgesmeten.

Even later zaten ze in een schaars verlichte kamer op krakende stoelen rond een tafeltje. De vrouw had thee gezet en een paar boterhammen gesmeerd voor het onverwachte bezoek.

'Jou ken ik,' zei ze tegen Ouwe Bram. 'Maar waar ken ik *die* snuiter van?' Ze knikte naar Joram.

Joram ging staan en nam zijn hoed af. 'De naam is Joram de Jolige, beschermer van weduwen en wezen, herverdeler van geld en goederen. Verlichter van ondraaglijke geldelijke lasten. Tot uw dienst!'

'Een rover dus,' stelde de vrouw vast.

'Dat zeggen ze nou altijd,' zei Joram een beetje gekwetst. 'Maar... een vrólijke rover. En beleefd!'

'Ik weet het weer!' zei de vrouw. 'Jij was hier een paar jaar geleden, toen de oude koningin de benen nam!'

'Klopt als een zwerende vinger, mevrouw.'

'Zeg maar Zwoertje,' zei ze vriendelijk. 'Maar wat doen jullie hier? Jullie hadden geen slechtere tijd kunnen kiezen.' Haar ogen lichtten op. 'Is zíj hier? Koningin... *Theodora?*'

'Stil, vrouw!' siste Stoffel. 'De muren hebben oren!'

'Ja, ze is hier,' zei Ouwe Bram zacht. 'En prinses Catharina ook. Veilig in de bergen. We zijn net terug van een lange reis en toen zagen we de muur...'

'Wat is er met Ploenk gebeurd?' onderbrak Joram hem.

'Ploenk bestaat niet meer,' zei Zwoertje triest.

'Waaaaat!' riepen Ouwe Bram en Joram tegelijk.

Stoffel zuchtte. 'Kort nadat de koningin vertrok, hebben de kroonprinsen van Lamaarwaaie en Ghamarije met behulp van hun soldaten Ploenk ingepikt,' legde hij uit. 'Het was in een oogwenk gebeurd. Ploenk heeft geen leger, alleen maar een lakei met een stofdoek. De kroonprinsen hebben Ploenk in twee helften verdeeld en er een muur tussen gezet. Zo dik dat je er geen gat in kunt slaan. Ze hebben ook de slotgracht gedempt, zodat er niemand naar de andere kant zou kunnen zwemmen.'

'Wij zitten in het stuk dat bij Lamaarwaaie hoort,' zei Zwoertje. 'En achter de muur ligt het deel dat door Ghamarije is bezet. Aan beide kanten houden soldaten de wacht. Niemand mag over de muur heen. Mijn zuster woont aan de andere kant, ik heb haar al in geen maanden gezien...' Zwoertje drukte een zakdoekje tegen haar ogen.

Joram knikte. 'Die kroonprinsen hadden natuurlijk geen zin meer om te wachten tot Theetje eindelijk eens met een van hen zou trouwen,' zei hij, 'en toen hebben ze besloten Ploenk op te delen.'

'Schurken!' gromde Ouwe Bram. 'We zullen die lui een lesje leren, baas, we...'

Joram stak een hand op. 'Je vergeet dat onze mannen nog in Oesbadoer zitten. Ze komen over een maand pas hierheen. We zijn met te weinig om die prinsen en hun soldaten aan te pakken.'

'Wacht eens, baas, misschien staan we niet alleen tegenover die lui... Die soldaten dachten toch dat wij spionnen waren?'

'O ja,' zei Joram. 'Da's waar ook. Van *TOP*.' Hij keek vragend naar Stoffel en Zwoertje. 'Wat is dat?'

Stoffel kromp ineen. 'Zeg die naam niet hardop!'

'Waarom niet?' vroeg Ouwe Bram.

Zwoertje wenkte hen dichterbij. Toen ze hun hoofden bij elkaar hadden gestoken, fluisterde ze: 'TOP is het ondergrondse verzet tegen Ghamarije en Lamaarwaaie. Niemand weet wie erbij hoort, want de leden dragen pijen en hebben een schuilnaam. Ze kennen elkáár niet eens.'

'Zodat ze elkaar niet kunnen verraden,' begreep Joram. 'Slim. En wie zit er in de eh *top* van TOP?'

Zwoertje trok met haar schouders. 'Ik weet alleen dat ze haar de Zwarte Dame noemen.'

'Een vrouw?' zei Ouwe Bram verbaasd.

Zwoertje fronste haar wenkbrauwen. 'Ja, is daar soms iets mis mee?'

'Wat betekent TOP eigenlijk?' vroeg Joram snel. 'Is het een afkorting?'

Op dat moment werd er luid op de deur gebonsd. 'Doe open!' bulderde een stem. 'Anders trappen we de deur in!'

'Gauw!' fluisterde Zwoertje. 'Aan de achterkant is een raam.'

Zonder nog iets te zeggen, renden ze alle vier naar achteren. Zwoertje schoof het raam omhoog en Joram en Ouwe Bram klauterden naar buiten.

'Bedankt!' fluisterde Joram. 'Doe gauw het raam dicht, dan weten ze niet dat jullie ons geholpen hebben!'

Zonder nog om te kijken, holden ze bij het huisje vandaan.

'Zoek iets waar we ons kunnen verstoppen,' zei Joram. 'Zodra ze merken dat we daar niet zitten, komen ze achter ons aan!'

Algauw klonken er opgewonden stemmen, die steeds dichterbij kwamen.

'Baas!' zei Ouwe Bram. Hij wees naar een dikke, omgevallen boomstam die begroeid was met klimop. Hijgend renden ze erheen en doken erachter neer.

'Sla ze in de boeien!' klonk een stem achter hen.

Ze draaiden zich om. Daar stonden soldaten met puntige speren. Joram stak zijn handen omhoog. 'Ik geloof dat we vannacht toch een dak boven ons hoofd zullen hebben, Ouwe Bram, of we willen of niet…'

IV

Twee woudlopers

Kaatje liep te ijsberen.

'Ga nou eens zitten,' zei Theetje, die een romannetje probeerde te lezen. 'Ik krijg het heen en weer van je.'

Kaatje bleef staan. Ze griste het stukgelezen boekje uit de handen van haar zusje en slingerde het weg.

'Heeee!' riep Theetje. 'Wat doe je nou? Da's m'n lievelingsboek!'

'Ach wat,' zei Kaatje boos. 'Die stomme verhaaltjes. Meisjes die door enge mannen met littekens in een kerker worden gegooid. En dan altijd weer gered worden door een held met wapperende haren. Pha! Denk liever na over wat we nu moeten doen.'

'Hoezo?'

'Het schemert al.' Kaatje gebaarde naar de lucht. 'Joram en Ouwe Bram zijn dus al bijna een hele dag weg, Theetje! Waarom hebben we nog niks van ze gehoord?'

'Misschien hebben ze wat meer tijd nodig?'

Kaatje vernauwde haar ogen tot spleetjes. 'Nee, er is iets gebeurd. Dat vóél ik gewoon.' Ze trok haar laarzen aan en begon te wroeten in de zadeltassen die naast de paarden op de grond stonden.

'Wat ga je doen?'

'Iets wat ik allang had moeten doen.'

'Vluchten?' vroeg Theetje ongelovig.

'Tuurlijk niet!' Kaatje haalde twee gestreepte gewaden met een kap uit een van de tassen. Het ene gooide ze naar haar zusje. 'Hier, trek aan!'

'Maar die ken ik!' zei Theetje. 'Zo eentje droeg ik in Oesbadoer, toen we op zoek waren naar die sultan die jou daar op de markt had gekocht.' [1]

1 Dit kun je lezen in *De Pirate van Ploenk*

'Daar komen ze ook vandaan,' zei Kaatje. 'Luister, Theetje... We wachten tot het donker is en dan sluipen we Ploenk binnen. In deze dingen worden we niet zo gauw herkend.'

'Volgens mij vallen we zo juist heel erg op. Niemand in Ploenk draagt zoiets. Ze zullen ons vast vragen wie we zijn.'

'Dan doen we alsof we van heel ver komen en ze niet kunnen verstaan.' Kaatje pakte twee korte zwaarden uit de andere zadeltas en gaf er een aan Theetje. 'En als ze daar niet intrappen, hebben we deze bij ons. Kun je mooi verbergen onder die jurk.'

Theetje knikte naar de twee paarden die stonden te grazen. 'Maar wat doen we met Globetrotter en Koppige Kaatje? En met die ezel?'

'Die maken we los. Kunnen ze zelf op zoek naar eten en water. En als er gevaar dreigt, kunnen ze ervandoor. Het zijn slimme paardjes, die redden zich wel. En die ezel ook, denk ik.'

'En als we ze straks weer nodig hebben?'

'Dan hoeven we maar te fluiten en dan zijn ze er zo, waar ze ook vandaan moeten komen. De ezel misschien niet, maar dan moet Ouwe Bram maar achterop bij Joram.'

'Ik hoop dat je gelijk hebt.' Theetje nam het kroontje van haar hoofd en keek ernaar. 'En wat moet ik hiermee doen?'

'Stop maar onder in een van de zadeltassen.'

'Maar dan kan iemand het stelen!' zei Theetje.

'En als je het kroontje meeneemt, heb je grote kans dat je het kwijtraakt.' Kaatje zette haar handen in haar zij. 'Dus het is lood om oud ijzer.'

'Nee, het is van goud,' zei Theetje.

Een uurtje later glipten ze, ieder gehuld in een mantel, Ploenk binnen. Zo gauw ze konden, doken ze het Woelige Woud in.

'Waar gaan we naartoe?' fluisterde Theetje, terwijl de duisternis haar van alle kanten op kousenvoeten besloop.

'Eerst naar het paleis,' antwoordde Kaatje. 'Vader zoeken.'

'Denk je... denk je dat er iets... éngs met hem is gebeurd?'

'Geen idee, maar ik kan me niet voorstellen dat hij die muur heeft laten neerzetten. En zoals Joram al zei, degene die dat wel heeft laten doen, had vast geen goede bedoelingen met Ploenk. Dus ook niet met vader. Misschien hebben ze hem ergens opgesloten.'

'Halt!' klonk opeens een stem, midden in het donkere woud. 'In de naam van kroonprins Frederik van Lamaarwaaie, wie gaat daar?'

Kaatje en Theetje maakten zich zo klein mogelijk en hielden zich muisstil.

Even later verscheen er een lichtje. Het leek als vanzelf door de nacht te zweven, maar toen het dichterbij kwam, zagen ze de soldaat die het vasthield. Niet een type dat je in het donker graag tegenkwam.

'Kom tevoorschijn!' Hij hield zijn donderbus in de aanslag, draaide in de rondte en richtte het wapen dreigend op elke boom die hij in het vizier kreeg.

Theetje keek naar Kaatje. Toen dacht ze aan hun plannetje en liep zijn kant op. 'N-niet skiet,' zei ze bibberend met haar handen in de lucht. 'Iek versjtaan oe niet k-koet.'

De soldaat zwaaide het licht in haar richting. 'Blijf staan!' Hij kwam naar haar toe. 'Waarom praat je zo raar? En waarom draag je die soepjurk?'

'Iek van ver land koem. Daar mensjen diet aan trek.'

'Maak dat je grootje wijs!' Toen grijnsde hij sluw. 'Wacht es effe... jij hoort natuurlijk bij TOP. Die dragen dat soort kleren. We hebben gisteravond nog twee van jullie gearresteerd, wist je dat?'

'Twee? Gisteravond?' Van schrik vergat Theetje haar nepaccent. Dat moesten Joram en Ouwe Bram zijn!

'Ja, die leggen nou te rillen in de kerker van het ouwe paleis van Ploenk. Maar d'r is nog plaats genoeg hoor. Laat eerst je smoel maar es zien. Je bent vast een lillekerd.' Hij trok de kap met een ruk naar achteren en versteende. 'Krijg nou wat...' bracht hij na een tijdje uit. 'Een meissie!'

En toen zag hij sterretjes.

Kaatje had hem gemept met de platte kant van haar zwaard. 'Mooi zo, weten we tenminste waar ze zijn.' Ze gaf Theetje een por. 'Goed werk, zusje! Als jij die kerel niet had afgeleid, had ik niet achter hem kunnen sluipen om hem een tikje te verkopen.'

'Een tikje?' Theetje keek bezorgd naar de soldaat, die nu languit op de grond lag. 'Een dreun, zul je bedoelen! Hopelijk heb je hem niet te hard geslagen.'

'Ach wat, die heeft straks alleen maar een beetje hoofdpijn. Je hebt toch geen medelijden met hem? Nog een geluk dat-ie je niet herkende.' Kaatje dacht even na. 'Hij had het over TOP. Ik vraag me af wat dat is. En wat doet een soldaat van Frederik hier in Ploenk? Da's hoogst verdacht.'

Theetje trok aan haar mouw. 'Laten we maar gauw verder gaan, naar het paleis, voordat er weer zo'n griezel opduikt uit het duister. Soms wou ik dat er wat meer huizen stonden in Ploenk. En ook wat dichter bij elkaar, dan waren er tenminste meer lichtjes.'

'Ja, maar dan konden we ons veel minder goed verstoppen,' zei Kaatje, die probeerde het donker te doorgronden. 'Kom,' zei ze toen. 'Ik kan hiervandaan het pad zien naar het paleis.'

'Gaan we dan het pad op?'

Kaatje schudde haar hoofd. 'Nee, we blijven er vlak náást lopen, dan worden we door de bomen en hun schaduw beschermd. Als we op het pad lopen, dan zien ze ons zo.' Ze wees naar boven.

De heuvel waarop het koninklijk paleis stond, stak ver boven het woud uit en werd verlicht door een halve maan. Zelfs hiervandaan konden ze zien hoe hoog de muur was die erdoorheen liep.

Maar Theetje had er geen ogen voor. In het licht van de maan, dat nu flauwtjes door de bomen scheen, bekeek ze haar kleren. Er zaten scheuren in het gewaad, en in de japon eronder. En zwarte vegen op het hemelsblauw. 'M'n mooie japon!' riep ze. 'Aan flarden! En moet je die vlekken zien, die krijg ik er nooit meer uit! Zelfs niet met het krachtigste wasmiddel.'

'Sssst!' deed Kaatje. 'Dadelijk duiken er nog meer wachters op. En we moeten de hele afstand naar de poort nog overbruggen.'

Theetje sloeg haar ogen neer. 'Sorry.'

'Is al goed.' Kaatje liep in de richting van het pad en stopte toen ze

er vlakbij waren. Ze keek een tijdje, maar er was niemand te zien. Toen gebaarde ze Theetje dat ze haar moest volgen. Er was een dubbele rij dennenbomen tussen de sluipende zusjes en het slingerende pad, zodat niemand hen van daaraf zou kunnen zien. Bij elk krakend takje bleven ze staan om te kijken of ze ontdekt waren, maar niemand kwam tevoorschijn.

Theetje keek over haar schouder. 'Ik heb het gevoel dat we gevolgd worden.'

'Dat lijkt maar zo,' stelde Kaatje haar gerust.

Ze liepen nog een tijdje door, tot ze onder aan de heuvel waren gekomen, en toen bleven ze opnieuw staan.

'Wat ziet het er raar uit zonder slotgracht!' fluisterde Theetje.

'Moet je kijken!' Kaatje wees naar de kasteelpoort.

Voor de poort stonden twee potige wachters, die tot aan de tanden bewapend waren. Tussen hen in stond een groot kanon.

'O, wat moeten we nu doen?' kreunde Theetje. 'Daar komen we nooit langs!'

Kaatje zei niets. Ze keek om zich heen en dacht na. 'Zie je die put daar?' zei ze toen. 'We rennen er zo snel als we kunnen naartoe. Die put geeft ons wat meer dekking dan het donker. Daar proberen we iets te bedenken om in het paleis te komen.'

Ze holden het woud uit en even later hurkten ze hijgend achter de put neer.

'Kijk jij naar links,' fluisterde Kaatje, 'om te zien of alles veilig is? Dan kijk ik naar rechts.'

Theetje keek naar links. En zag twee laarzen, op een halve meter afstand, met daarboven een pij. 'K-Kaatje...' begon ze.

'Rechts is geen mens te zien,' zei Kaatje. 'En die wachters hebben geloof ik niets gemerkt. Volgens mij staan ze half te slapen. En links?'

Theetje trok aan Kaatjes gewaad. 'K-kijk...'

Kaatje keek. 'Waar komt u zo ineens vandaan?'

De gestalte in de pij had de kap over zijn hoofd geslagen. 'Ik zat in de put,' sprak hij gedempt.

'O,' zei Theetje, 'wat naar voor u, meneer. Gaat het nu weer wat beter?'

Kaatje stootte haar aan. 'Hij bedoelt dat-ie echt in de put zat!'

'Inderdaad.' De man keek schielijk om zich heen. 'Ik ben eruit geklommen om uit te kijken naar bondgenoten. Lieden die ons willen helpen bij de strijd tegen de bezetters.'

Theetje keek stomverbaasd. Ze wilde iets zeggen, maar haar zusje was haar net te snel af.

'U bent van TOP,' gokte Kaatje.

De ander knikte. 'En aan jullie gewaden te zien, komen jullie voor de grote vergadering.'

'Klopt,' zei Kaatje gauw. 'Want wij vinden TOP eh…'

'… Top,' maakte Theetje haar zin af.

'Mooi. Hebben jullie wapens bij je?'

Kaatje knikte. 'We hebben allebei een kort zwaard.'

'Geef die dan aan mij zodra we beneden zijn, je mag alleen zonder wapen naar de bijeenkomst. Voor alle veiligheid. Na afloop krijgen jullie je zwaarden weer terug.' De man keek nog eens om zich heen en boog zich toen over de put. Hij tilde het deksel dat erop lag omhoog. Een adembenemende lucht walmde hen tegemoet. 'Dames eerst.'

V

T.O.P.

Langs een touwladder klommen ze een paar meter omlaag en toen kwamen ze in een tunnel terecht. De man knikte naar een stapel met harken, hooivorken, spades en andere gereedschappen.

'Lijkt wel een vergadering van de boerenbond,' mompelde Kaatje, terwijl ze haar wapen erop neerlegde. Theetje volgde haar voorbeeld.

De man pakte een brandende fakkel uit een houder in de muur en ging hen voor. Gaandeweg raakten ze aan de stank gewend.

'Wie bedoelt hij met *bezetters*?' fluisterde Theetje. 'En sinds wanneer zijn er geheime gangen in Ploenk? *Onder* Ploenk, bedoel ik.'

'Laat mij maar het woord doen. Eh… meneer?' zei Kaatje toen hardop.

'Noem me maar Zwarte Toren,' zei hij, 'dat is m'n schuilnaam. Iedereen in het verzet heeft er eentje – opgelet, hier gaan we het hoekje om – anders kunnen we elkaar verraden als we gepakt worden.'

'Aha,' zei Kaatje. 'Ik snap het. Moeten wij nu ook een schuilnaam bedenken?'

'Dat lijkt me wel verstandig,' zei Zwarte Toren.

'Hm, wat dacht je van… *Witte* Dame?' zei Theetje tegen Kaatje.

De man bleef staan en draaide zich om. 'Er is hier maar één dame en dat is de *Zwarte* Dame,' sprak hij streng.

'De Zwarte Dame?' zei Kaatje. 'Wie is dat?'

'Weet je dat niet? Zij is de leidster van TOP. Onder haar aanvoering zullen wij Ploenk redden uit de klauwen van Ghamarije en Lamaarwaaie.' Zwarte Toren keerde hun weer de rug toe. 'We moeten voortmaken, zo dadelijk begint de bijeenkomst. De Zwarte Dame zal ons toespreken.'

'Ghamarije en Lamaarwaaie,' fluisterde Theetje. 'Dus dát zijn de bezetters.'

Kaatje wierp een blik op haar zusje. 'En ik ben benieuwd,' zei ze, zo zacht dat alleen Theetje het kon horen, 'wie die Zwarte Dame is.' Toen vroeg ze aan Zwarte Toren: 'Zijn deze gangen er al lang?'

'Sinds mensenheugenis. Alleen wist niemand ervan, behalve de Zwarte Dame.'

'En waarom wist zij het dan wel?' vroeg Kaatje.

Zwarte Toren gaf geen antwoord.

Na een wirwar van gangen – brede en smalle, rechte en kromme, en soms zo laag dat ze er nauwelijks rechtop konden lopen – belandden ze in een grote grotachtige ruimte, die verlicht werd door een heleboel fakkels. Van planken was er een klein podium gemaakt, waarop een spreekgestoelte stond. Hoog achter het podium hing een spandoek. In grote letters stond erop geschilderd: TROTS OP PLOENK! Voor het podium stonden drie gestalten in een bruine pij. Alle drie omklemden ze een hooivork en van onder hun kappen keken ze spiedend om zich heen.

Kaatje boog zich naar Theetje toe. 'Weten we gelijk wat TOP betekent.'

Zwarte Toren gebaarde naar een groepje een eindje verderop. 'Ga daar maar bij staan, het begint zo meteen. Denk intussen na hoe je jezelf wilt noemen. En ga niet zonder gids door de gangen dwalen. Je vindt de weg nooit meer terug.' Zonder groet verdween hij de gang weer in.

Het groepje bestond uit een stuk of twintig mensen. Sommigen droegen een pij, anderen een soort nachthemd met een kap erop genaaid, en weer anderen hadden een laken of een deken omgeslagen. Vanwege de gewaden was het niet te zien of het mannen of vrouwen waren.

'Laten we maar achteraan gaan staan,' zei Kaatje zacht. 'Dan vallen we niet zo op. En niks meer zeggen. Je weet niet wie er meeluistert.'

Zwijgend sloten ze zich bij het groepje aan.

Alle ogen waren op het podium gericht. Een tijdje leek er niets te gebeuren, toen klonk er tromgeroffel. De trommelaar, net als iedereen gekleed in een pij, liep het podium op en ging aan de zijkant staan.

Toen verscheen er een lange gestalte, onder wiens iets te korte pij nog net lakschoenen met glimmende gespen zichtbaar waren. Hij ging achter het spreekgestoelte staan en tikte op het hout. Toen de trommelaar bleef doorgaan, riep hij: 'Stilte!'

Het getrommel hield abrupt op.

De gestalte schraapte zijn keel en richtte zich tot het groepje. 'Geachte burgers van Ploenk, bedankt dat u in groten getale bent gekomen. Op elke bijeenkomst van TOP mogen wij meer dappere lieden zoals u begroeten. Het woord verspreidt zich snel. Als een lopend vuurtje, als ik het zo uit mag drukken. Als een...'

Van de zijkant klonk een ongeduldig gekuch.

'Maar nu geef ik, indien u mij toestaat, zonder verder dralen het woord aan onze onnavolgbare leidster, die wij zullen eh volgen bij de bevrijding van ons geliefde koninkrijk. Beste, brave burgers van Ploenk, een warm applaus voor niemand minder dan... dan...' Hij gaf de trommelaar een por. Deze schrok overeind en begon als een gek op zijn trom te roffelen alsof er zojuist een spannend circusnummer was aangekondigd. 'De Zwarte Dame!!'

Het groepje begon enthousiast te klappen.

'Die stem komt me bekend voor,' fluisterde Kaatje.

'Mij ook,' zei Theetje fronsend. 'Erg bekend.'

Vanuit een doorgang links van het podium verscheen een gedaante in een zwart gewaad. Met het door een kap bedekte hoofd fier omhoog en de rug recht als een kaars, schreed de Zwarte Dame naar het spreekgestoelte. Ze gaf een koel knikje en het applaus verstomde. 'Burgers van Ploenk,' begon ze plechtig, 'ons volk zucht reeds maandenlang onder het juk van beide kroonprinsen, er staat een muur tussen ons en onze naasten, de koning kwijnt weg in de kerker van het paleis, en van de koningin en haar zuster vernemen wij taal noch teken. Paniek heerst alom in Ploenk!'

Het groepje begon te joelen.

'Dus vader zit ook in de kerker,' fluisterde Kaatje in het oor van haar zusje. 'Deze stem ken ik trouwens ook, maar waarvan? Weet jij het soms?'

Maar Theetje kon slechts staren naar de statige gestalte op het podium.

Toen het weer rustig was, sprak de Zwarte Dame met snijdende stem: 'Dit alles was niet nodig geweest als koningin Theodora van Ploenk haar land niet in de steek had gelaten om een reisje te gaan maken...'

Er klonk een instemmend boegeroep.

Theetje sprong verontwaardigd op en wilde iets zeggen, maar Kaatje trok haar meteen weer omlaag. 'Ssst!'

'Ze liegt!' zei Theetje. 'Het wás geen reisje, ik ging op zoek naar j…' Twee gestalten keken verstoord naar hen om en Theetje slikte haastig de rest van haar woorden in.

'… en Ploenk had achtergelaten,' ging de Zwarte Dame smalend verder, 'in de handen van een koning die liever puzzelt dan zich te bemoeien met de noden en wensen van zijn volk!'

Opnieuw boegeroep, ditmaal harder.

De Zwarte Dame verhief haar stem. 'Maar gelukkig is het bijna zover, burgers van Ploenk, dat we de gehate muur zullen slechten – afbreken, bedoel ik – dat we de hoge heren van Ghamarije en Lamaarwaaie uit ons land zullen verjagen. En dat niet alleen… we zullen hen ook verjagen uit hun *eigen* koninkrijken!'

Een luid gejuich steeg op. Kaatje en Theetje keken elkaar verbijsterd aan.

'Ghamarije en Lamaarwaaie,' vervolgde de Zwarte Dame nu nog luider om over het lawaai heen te komen, 'zullen van de kaart verdwijnen. In plaats daarvan komt er een *Groot*-Ploenk! Die koning van niets zal verdreven worden en de macht zal aan óns komen…' De aankondiger fluisterde iets in haar oor. 'Aan het volk van Ploenk!' voegde ze er toen haastig aan toe. 'Want wij zijn tróts op ons volk, tróts op ons land, tróts op Ploenk!!'

Het gejoel was nu zo oorverdovend dat Theetje haar handen tegen haar oren duwde. Iemand trok aan haar schouder. Het was Kaatje. Haar zusje gebaarde dat ze mee moest komen. Het was zo'n chaos dat niemand het merkte toen ze even later de grot uit glipten.

VI

Indringers!

Met lillende onderkinnen knauwde prins Frederik aan een lams-
bout, toen een verwaaide bediende de eetzaal binnenstoof.
'Hoogheid!' hijgde de lakei met scheve pruik. 'U moet meteèn...'
De kroonprins van Lamaarwaaie zwaaide dreigend met zijn eten.
'Ik bwoet nikf,' sprak hij met volle mond. 'En zéker niet meteen,'
voegde hij eraan toe nadat hij het vlees had doorgeslikt.
'Maar hoogheid...'
'Je ziet toch dat ik drukbezet ben, oliebol!' De vorst gebaarde met
vettige vingers om zich heen.
Ingesnoerd in een kostuum met gouden knopen, als een worst in
een te krap velletje, zat hij midden in de grote met kwikjes en strikjes versierde zaal aan een lange, vergulde tafel die doorboog onder
schalen vol eten: gebraden fazant, aardappelpuree, gepofte kastanjes, erwtjes, gestoofde peertjes, appelmoes, malse kippenboutjes
druipend van het vet, gepofte appeltjes waarvan er eentje geprop
was in de bek van een geroosterd varken dat met een verbaasde blik
midden op tafel prijkte. Verder waren er een wiebelende stapel
pannenkoeken die boven alles uit torende, een enorme pan toma-
tensoep, vers fruit uit alle windstreken, een grote kom jus, drilpud-
ding met bessensaus, ijs met gesmolten chocola, slagroom en spik-
keltjes.
De lakei boog nederig toen hij dit alles zag. 'Het spijt me, hoogheid,
ik wist niet dat u gasten verwachtte...'
'Ik verwacht geen gasten, bal gehakt!!' De kroonprins smeet hem de
inmiddels kaalgevreten lamsbout naar het hoofd, die de lakei op het
nippertje ontweek. 'Dit is mijn dagelijkse kost. En nu ophoepelen,
voordat ik je laat onthoofden wegens binnenvallen zonder kloppen!'

'Maar het is een noodgeval!' riep de lakei wanhopig. 'Er zijn indringers!'

'Indringers?' Prins Frederik spuugde een achtergebleven botje op de vloer en keek de lakei verwonderd aan. 'Wat voor indringers?' Hij graaide naar de dichtstbijzijnde kippenbout, rolde die door de appelmoes, en begon er smakkend aan te kluiven.

'Onze soldaten hebben er twee opgepakt en in de kerker van Ploenk gegooid, maar waarschijnlijk zijn er nog meer.'

'Wie hebben ze opgepakt?' vroeg de kroonprins. 'Landlopers, kermisklanten, gebedsgenezers, marskramers? Gooi ze maar in de vergeetput.'

'Veel erger, hoogheid... Joram de Jolige. U weet wel, de struikrover die destijds geholpen heeft de oude koningin uit Ploenk te verjagen. En de raadsheer van Theodora...'

Prins Frederik liet de kippenbout vallen; de appelmoes spetterde op zijn galakostuum. 'Joram de Jolige en Ouwe Bram?!'

'Precies.'

'Zijn ze al ondervraagd? Zijn de duimschroeven strak aangedraaid?'

De lakei schudde het hoofd. 'Daarom ben ik dus hier, om te vragen wat u met ze wilt doen.'

De kroonprins schoof zijn bord met lange vingers van zich af. Hij had geen trek meer. 'Je zei dat er nog anderen waren?'

'In de bergpas boven Ploenk – euh, ik bedoel Lamaarwaaie – zijn twee paarden aangetroffen en een ezel,' zei de lakei. 'Zonder berijders. Onder in een van de zadeltassen vonden onze wachters een puzzel en een kroontje...'

'Een puzzel en een kroontje?'

De lakei knikte. 'Precies zo eentje als koningin Theodora draagt. En u weet wie er van puzzelen houdt in voorheen Ploenk. Bovendien herkende een van onze mannen de paarden... Globetrotter en Koppige Kaatje.'

'De paarden van Joram de Jolige en...'

'Prinses Catharina, hoogheid.'

'Dus Catharina is teruggekeerd... En als zíj terug is, zal Theodora

niet ver weg zijn.' Prins Frederik stond op en begon te ijsberen. 'Verdubbel de wacht en laat iedereen uitkijken naar de indringers, vooral koningin Theodora.'

De lakei fronste zijn wenkbrauwen. 'Verschoning, maar u wilt dat eh vooral koningin Theodora naar de indringers uitkijkt?'

'Natuurlijk niet, hansworst!' De prins bekogelde hem met een handvol gepofte kastanjes, maar de lakei wist ze behendig te ontwijken. 'Ik bedoel dat ze vooral naar Theodora moeten uitkijken! En blijf staan als ik je iets naar je kop gooi.'

De lakei boog. 'Jawel, hoogheid.'

'Ik wil dat ze meteen hier wordt gebracht, zodra ze gevonden is.' Hij bleef staan en wierp de lakei een strenge blik toe. 'Duidelijk?'

De lakei aarzelde. 'Maar hoe herkennen we koningin Theodora? Ze lijkt immers sprekend op haar zuster en andersom.'

'Laat ze allebei maar hierheen brengen, dan zoeken we dat ter plekke wel uit. En laat aanplakbiljetten verspreiden door heel Lamaarwaaie met een tekening van haar gezicht. Loof een hoge beloning uit.'

'Komt voor elkaar, hoogheid!' zei de lakei.

'O, en nog wat… Die Joram en z'n dikke vriend moeten verhoord worden. Ik wil weten met wie ze hier zijn gekomen, wat ze van plan zijn, en waar de rest is gebleven. Begrepen?'

'Begrepen, hoogheid!'

'Mooi, hoepel nou maar op.'

'Ik hoepel op, hoogheid!' De bediende haastte zich opgelucht de eetzaal uit.

Prins Frederik zakte weer terug in zijn stoel. *Theodora was terug…* Afwezig tuurde hij naar het sierlijke behang, naar de meer dan levensgrote portretten van zijn voorouders, en de antieke wandtapijten waarop strijd werd geleverd door geborduurde ridders te paard, boogschutters en voetvolk. Uiteindelijk bleef zijn blik rusten op de ringen aan zijn vingers. Eén vinger was nog vrij. Hij grijnsde. Tijd om de trouwringen voor de dag te halen!

VII

In de wolken

'Dit brood is versteend, baas. Ik krijg er een brok van in m'n keel. Heb je wat water om het weg te spoelen?'
'Geen idee, Ouwe Bram. Ik zal eens op zoek gaan. Misschien staat ergens nog een kan.'
Er brandde een smalle fakkel in de kerker, die net het stukje verlichtte waar zij zaten. De rest van de ruimte was in schaduwen gehuld. Ze zaten op een laagje stro dat de kou van de stenen vloer nauwelijks tegenhield. Motten hadden gaten gepeuzeld in de dunne dekens, en ratten ritselden rond in duistere hoeken. De kerker bevond zich diep onder het paleis van Ploenk en was duidelijk al lange tijd niet meer gebruikt toen de prinsen van Ghamarije en Lamaarwaaie het kleine koninkrijk binnenvielen.
Joram liep naar de rand van de lichtkring en voelde voorzichtig om zich heen. 'We moeten hier weg en gauw ook,' zei hij, terwijl hij zocht. 'We zitten hier volgens mij al bijna een dag. Kaatje en Theetje vragen zich vast af waar we blijven.'
'Die zijn allang naar ons op zoek,' merkte Ouwe Bram droogjes op.
'Ja, daar ben ik ook bang voor.'
'Maar hoe wil je hieruit komen, baas? De deur van de kerker is minstens een halve meter dik en d'r is geen beweging in te krijgen.'
'Dan moeten we hopen op een wonder,' zei Joram. Op dat moment raakte zijn hand iets zachts aan. Iets warms. Iets wat bewoog. Iets wat kreunde. Haastig trok hij zijn hand weg en kroop weer terug naar Ouwe Bram. 'We hebben gezelschap!'
Het gezelschap schoot overeind. 'Wolken!' klonk het wanhopig. 'Zoveel wolken! Ik word er niet goed van! En ik heb hier véél te weinig licht! Zo krijg ik die puzzel nooit af!'

Ouwe Bram en Joram keken elkaar aan.

'De koning!' riep Ouwe Bram. Hij sloeg een hand voor zijn mond.

'Wie is daar?' vroeg de vorst.

'Euh, iemand die u komt helpen,' zei Joram.

'Helpen? O, dat zou fijn zijn. Ik ben bezig met een puzzel die voor meer dan de helft uit wolken bestaat en...'

'Niet met de wolken, majesteit,' zei Ouwe Bram.

'Niet met de wolken?' herhaalde de vorst teleurgesteld. 'Waarmee dan wel? De blauwe lucht soms?'

'We komen u bevrijden,' zei Joram. 'Er is alleen één probleempje. Wij zitten namelijk ook in de kerker.'

De koning kwam uit zijn duistere hoek het licht in gekropen en staarde hen steunend op handen en voeten een tijdje aan. Zijn baard zag er verwilderd uit en er hingen puzzelstukjes in. Zijn mantel was gescheurd en hij droeg geen kroon. 'Maar jullie ken ik!' riep hij verrast uit.

'Ssst, majesteit!' zei Joram. 'De vijand luistert misschien mee.'

'O ja, de vijand,' herhaalde de koning vaag.

'Luister, majesteit, we moeten iets bedenken om hier weg te komen. Ik stel voor dat we de wacht neerslaan als hij ons eten komt brengen. Dan pakken we zijn sleutels af en gaan ervandoor.'

De koning schudde zijn hoofd. 'Dat zal niet gaan. Ze komen namelijk niet binnen. Eten en drinken schuiven ze door een luikje onder in de deur. En lege borden en zo moet je daar weer neerzetten en dan pakken ze het weer terug.'

'Maar als u nou eh...' begon Ouwe Bram. 'Als u nou moet eh jeweetwel...?'

De koning knikte naar achteren. 'Daar is een gat in de grond. Eronder zit een hele diepe beerput.'

Joram keek nadenkend voor zich uit. 'Hm, waar zou die put op uitkomen? Misschien kunnen we via dat gat...'

'O nee!' Ouwe Bram schudde zijn hoofd. 'Voor geen goud ga ik daarin. Dan blijf ik liever hier zitten tot ik een ons weeg.'

'Dat kan nog even duren, zo te zien,' zei de koning, met een blik op zijn omvangrijke gestalte.

'Maar hoe komen we hier dán uit?' zei Joram.

De koning glimlachte. 'Via de geheime gang natuurlijk.'

'Geheime gang?' Joram en Ouwe Bram keken hem verbijsterd aan.

'Het paleis wemelt ervan,' zei de koning schouderophalend. 'Reuze handig als je even alleen wilt zijn en geen zin hebt in vervelend gedoe.' De koning trok een gezicht. 'Staatszaken en zo.'

Joram knikte. 'Ja, dat snap ik. Maar hoe weet u van deze gangen als ze geheim zijn, majesteit?'

'Nou eh…Toen ik net met de koningin was getrouwd, wilde ik op zekere dag een schilderij rechthangen. Er bleek een gat achter te zitten. Een groot gat. Omdat de koningin weg was voor een bespreking, kroop ik erdoorheen en ontdekte zo het begin van een uitgebreid gangenstelsel.' Hij glimlachte een beetje betrapt. 'Sindsdien heb ik er vaak gebruik van gemaakt, als de koningin me weer eens voor iets moest hebben.'

'Dus u kent het gangenstelsel inmiddels als uw broekzak?' vroeg Joram.

'Nou, voor een groot deel,' antwoordde de koning, 'want er komt volgens mij geen einde aan. En op mijn tochten door de gangen, ontdekte ik dat je via een geheime deur in de kerker kon komen.'

'Waarom zou iemand dat nou willen?' merkte Ouwe Bram op.

'Geen idee, maar mij kwam het prima uit.'

'Maar als u zo makkelijk kunt ontsnappen,' zei Ouwe Bram, 'waarom hebt u dat dan niet meteen gedaan? Nadat ze u hier hadden opgesloten, bedoel ik. U had toch allang op vrije voeten kunnen zijn?'

'Wat zou dat voor zin hebben gehad?' zei de koning. 'Dan had ik me ergens moeten verstoppen. En dan waren ze me gaan zoeken. En dan hadden ze me weer in de kerker gegooid. En dan was ik opnieuw ontsnapt. En dan waren ze me weer gaan zoeken en dan…'

'Ja ja, ik begrijp het,' zei Joram gauw.

'Dat is allemaal veel meer gedoe dan gewoon hier blijven,' ging de koning verder. 'Bovendien valt het hier best mee hoor, vooral omdat de adjudant regelmatig naar de keuken sluipt om voor mij iets te eten en te drinken te halen.'

'Dus de adjudant zit hier ook?' vroeg Joram.

'Ja, maar hij was net weer op pad om wat croissantjes met kaas, een gekookt eitje, en verse thee te halen. Hij zal zo wel weer terugkomen.' De koning zuchtte. 'Alleen is het hier veel te donker voor mijn puzzels. Bovendien zit ik nu midden in de wolken en snak naar een beetje blauwe lucht…'

'Dat geldt voor ons allemaal, majesteit,' zei Joram. Hij liet zijn stem zakken. 'Uw dochters zijn hier ook.'

De ogen van de koning werden groot. 'Catharina en Theodora? In de kerker?'

Ouwe Bram schudde het hoofd. 'Nee, buiten, op vrije voeten.'

'We gaan met z'n allen Ploenk bevrijden,' legde Joram uit. 'En uw kennis van de geheime gangen zal daarbij een grote hulp zijn!'

'Echt waar?' vroeg de koning hoopvol.

'Echt waar,' zei Joram. 'Weet TOP trouwens van die geheime gangen?'

De koning keek niet-begrijpend. 'Top?'

'Hebt u daar nooit van gehoord?' vroeg Joram.

'Ze vertellen mij nooit wat,' verzuchtte de vorst.

'Ik wil niet onbeleefd zijn, baas,' kwam Ouwe Bram ertussen. 'Maar wordt het niet eens tijd om te verkassen?'

'Je hebt gelijk,' zei Joram. 'Majesteit, waar is die geheime uitgang?'

'Kom maar mee.' De koning liep naar de andere kant van de kerker en bleef staan voor een stuk muur waar niets bijzonders aan te zien was. Hij duwde op een steen in het midden. Even later klonk er een diep gerommel en langzaam schoof er schurend, steunend en kreunend een stenen deur open.

Erachter gaapte een duister gat, waar rafelige spinnenwebben warrelden in een belegen bries.

VIII

Dwalen door het donker

'Wat is die Zwarte Dame een mispunt!' zei Theetje. Ze schrok van haar eigen stem in het omringende duister van de gangen. 'Het volk van Ploenk misbruiken om Ghamarije en Lamaarwaaie in te pikken!'

Gelukkig had Kaatje nog een fakkel mee kunnen grissen. Al leek het erop dat ze er niet lang meer plezier van zouden hebben, want de vlam werd steeds kleiner.

'Met anderhalve man en een paardenkop?' schamperde Kaatje, die een eindje voor haar uit liep.

'Je zag toch hoe enthousiast die mensen waren?' zei Theetje. 'Dat vertellen ze door aan anderen en voor je het weet, is die grot stampvol aanhangers.'

'Misschien heb je gelijk,' gaf Kaatje toe. 'Laten we eerst maar eens uit die gangen zien te komen en vader bevrijden.'

'Misschien zijn het helemaal geen gangen,' zei Theetje. 'Misschien is het wel een doolhof. Net zoals in dat romannetje wat ik laatst las. Daar dwaalde een meisje jarenlang rond. Toen de held haar eindelijk ontdekte, was ze helemaal vervuild en verwilderd.'

'Dit ís geen romannetje, Theetje!' zei Kaatje zonder zich om te draaien. 'Dit is echt!'

Theetje slaakte een gil.

Kaatje bleef staan en keek over haar schouder. 'Wat is er?'

'Er viel iets op m'n hoofd! Iets met pootjes!!'

Een grote spin, die net zo geschrokken was van Theetje als Theetje van hem, liet zich op de grond vallen en scharrelde er snel vandoor.

'Hoorde je dat, baas?'

'Wat?' vroeg Joram, die voor hem liep, naast de koning.

'Het leek wel of er iemand gilde,' zei Ouwe Bram. 'Ergens achter ons. Of was het ergens vóór ons?'

'Nou, ik hoorde niets,' zei de koning.

Joram hield zijn lantaarn omhoog. 'En er is ook niets te zien.'

'Hm, dan heb ik het me zeker verbeeld.'

'Weet u zeker dat we goed lopen?' vroeg Joram even later aan de koning.

'Geen zorgen, jongeman. Zoals je al zei, ken ik deze gangen als mijn broekzak!'

'Ssst!' deed Joram. 'We kunnen beter fluisteren, majesteit, misschien zijn we niet de enigen die hier rondlopen.'

'Baas, het vocht hier en al dat stof kriebelt in m'n neus. Ik ben bang dat ik zo dadelijk moet... ha... ha...'

'Niet niesen, Ouwe Bram!' siste Joram. 'Knijp je neus dicht, denk aan de tandarts, tel tot tien, weet ik veel, maar niet nie...'

'Ha... tsjie!!'

'Wat was dat?' vroeg Theetje.

Kaatje bleef staan en Theetje botste tegen haar op.

'Iemand nieste,' fluisterde Kaatje. 'We zijn hier niet alleen, zusje.'

'Zullen we ze roepen? Misschien kunnen ze ons zeggen waar de uitgang is,' voegde ze er hoopvol aan toe.

'Ben je gek? Straks zijn het soldaten van Lamaarwaaie. Nee, we lopen zo zachtjes mogelijk verder.'

'Maar zo meteen kúnnen we niet verder en dan...' begon Theetje.

'We kunnen niet verder,' zei Kaatje. 'Hier zit een deur!'

'Zie je wel, ik zei toch al...' Theetje was even stil. 'Een deur?'

'Ja. Houd even die fakkel vast, dan kijk ik of hij... Nee, hij zit niet op slot.'

Moeiteloos zwaaide de deur open. Een zwak lichtje kwam hen tegemoet.

'Kijk uit,' riep Theetje. 'Daar is iemand!'

Kaatje liep naar binnen. 'Er is hier geen mens, er staat alleen een brandende olielamp. Op een tafel.'

'Net op tijd,' zei Theetje, 'de fakkel is aan het doven.'

'Kom gauw binnen en doe de deur dicht.'

Theetje gehoorzaamde en legde de fakkel op de grond. 'Maar dat lampje is daar wel door iemand neergezet,' zei ze toen. 'En die iemand komt vast weer terug, en dan…'

Kaatje had het lampje hoger gedraaid en de hele ruimte werd nu verlicht. Het was een ruim vertrek, met in het midden een tafeltje en een stoel. Langs alle vier de wanden stonden houten dozen in alle soorten en maten. Op elkaar gestapeld tot aan het plafond.

'Wat zit daarin?' vroeg Theetje.

Kaatje wrikte een doos tussen een wankele stapel uit. 'Help eens even, dat ding zit hartstikke klem.'

'Kijk uit! Zo meteen…'

Maar het was al te laat. De hoge stapel begon te wiebelen en het volgende moment lagen alle dozen over de vloer verspreid. De deksels waren eraf gegleden en de inhoud was eruit gestroomd.

· Puzzelstukjes, in alle soorten en maten.

Met haar handen schepte Kaatje wat stukjes op en liet ze tussen haar vingers door glijden. 'Denk jij wat ik denk?'

Theetje knikte. 'Vader heeft de puzzels hier gebracht, dus weet hij van de geheime gangen.'

'Ja, maar nu zit-ie in de kerker,' zei Kaatje, 'dus van wie is dat lampje dan?'

'Van dezelfde persoon die hier dat lekkers heeft neergezet.' Theetje wees naar het dienblad dat op het tafeltje stond. Op een bordje lagen twee verse croissantjes en ernaast stonden een glaasje, een theepot waar damp uit opkringelde, en een gekookt eitje.

Het water liep hun in de mond. Nu pas beseften ze dat ze al een tijd niets meer gegeten en gedronken hadden.

'Zouden we...' begon Theetje. 'Ik bedoel, zouden ze het erg vinden als we...' Ze gebaarde naar het blad.

'Vast niet,' zei Kaatje. Ze pakte een van de croissantjes en gaf het aan haar zusje. 'Eet smakelijk!'

Toen ze even later alles op hadden, liep Kaatje naar de deur. Ze deed hem voorzichtig open en keek om het hoekje. 'Het is veilig,' meldde ze. 'Kom, we gaan weer verder.' Ze pakte het lantaarntje.

'Wacht!' zei Theetje. Ze pakte een puzzeldoos. 'Ik strooi puzzelstukjes achter ons, dan kunnen we deze kamer terugvinden. Als het spoor doodloopt, bedoel ik. Dan kunnen we hiervandaan weer een andere kant op.'

'Slim,' zei Kaatje. Ze hield het lichtje voor zich uit en begon te lopen.

Intussen was de koning nog steeds op zoek naar zijn geheime kamer. 'Ik snap er niks van,' mompelde hij. 'De vorige keer was-ie nog hier...'

'Stil!' siste Ouwe Bram. 'Er komt iemand aan!'

Een eindje bij hen vandaan zweefde een lichtje door de duisternis. Het bewoog hun kant op. Algauw was het zo dichtbij, dat ze het gezicht erachter konden zien. Het had een grote snor en een kransje zwart haar rondom het achterhoofd.

'Majesteit?' sprak het gezicht verwonderd. 'Wat doet u hier? Ik dacht dat u in de kerker op mij zou wachten.'

De koning draaide zich om naar Joram en Ouwe Bram. 'Niets aan de hand,' zei hij opgelucht. 'Het is de assistent-puzzelaar eerste klasse maar!'

'Adjudant!' riep Ouwe Bram. 'Wat ben ik blij u weer te zien!'

'En anders ik wel,' antwoordde het mannetje. 'En ik zie dat meneer de Jolige ook van de partij is.'

Joram wilde beleefd zijn hoed afnemen, maar greep in het niets. 'Verroest,' zei hij. 'M'n hoed! Ik moet hem onderweg ergens verloren hebben. Nou ja, die halen we later wel op.'

De adjudant probeerde achter hem te kijken. 'Waar is uw vrolijke roversbende? Zijn ze al bezig de bezetters te verjagen?' vroeg hij hoopvol.

'Helaas,' zei Joram, 'ze komen pas over een tijdje naar Ploenk. Maar prinses Catharina en de koningin zijn er wel. We zijn naar ze op zoek.'

'In het paleis zijn ze in ieder geval niet,' zei de adjudant. 'Ik kom net uit de keuken vandaan, omdat ik de kaas vergeten was.'

'De kaas?' herhaalde Joram.

'Voor de croissantjes,' legde de adjudant uit.

'O ja,' zei Ouwe Bram verlekkerd. 'De croissantjes.'

'Ik heb het dienblad zolang in de geheime kamer gezet. Zullen we daar dan maar naartoe gaan?'

Ouwe Bram knikte. 'Lijkt me een goed idee.'

Toen ze even later in de geheime kamer stonden, keken zowel de koning als de adjudant verwonderd om zich heen.

'Iemand heeft van mijn bordje gegeten,' constateerde de vorst.

'En uit uw glaasje gedronken,' voegde de adjudant eraan toe.

'En uw eitje getikt,' zei Ouwe Bram teleurgesteld.

Joram boog zich naar de grond. 'En uw puzzels op de grond gegooid.'

'En iemand heeft het lantaarntje meegenomen dat hier altijd staat,' zei de adjudant.

'Maar wie?' vroeg Joram.

'Baas!' riep Ouwe Bram. 'Moet je es kijken. Iemand heeft een spoor van puzzelstukjes gestrooid. In de gang!'

'Laten we het volgen,' zei Joram. 'Misschien leidt het ons naar buiten.'

Even later liepen ze achter elkaar aan door de gangen. Voorovergebogen, om maar geen stukje te missen. Joram en Ouwe Bram gingen voorop, toen de koning, en als laatste de adjudant.

De zusjes liepen tot hun benen van lood waren, maar er leek geen einde te komen aan de gangen. Toen ging het lichtje uit.

'Ook dat nog,' verzuchtte Kaatje. 'Nou ja, dan maar zonder lamp.'

Ze gingen weer verder. Theetjes gedachten fladderden alle kanten op en ze lette niet meer op waar ze liep. Na een hele tijd vroeg ze: 'Kaatje? Zullen we even uitrusten?' Er kwam geen antwoord. 'Kaatje?' Theetje bleef staan en tastte met haar handen in het duister. Ze voelde alleen maar lucht. 'Ben je daar, Kaatje?' vroeg ze angstig.

Het bleef stil.

Dat kreeg je er nou van als je niet oplette! Kaatje was vast ergens een zijgang ingeslagen, terwijl zij rechtdoor was gelopen. 'Ik volg gewoon het spoor terug,' dacht ze hardop. 'Misschien vind ik haar dan weer.' Toen ontdekte ze dat ze ergens moest zijn opgehouden met het strooien van puzzelstukken, want er was nog geen stukje te bekennen. 'O nee!'

Na een tijdje besloot Theetje toch maar verder te gaan. Als ze hier bleef staan, zou ze Kaatje nooit terugvinden. Ze deed een paar stappen en dreunde tegen een deur op.

'Theetje? Waar ben je?' Kaatje keek zoekend om zich heen, maar de duisternis was ondoordringbaar. 'Ben je gevallen?'

'Kaatje?' klonk opeens een stem. 'Ben jij dat?'

Toen verscheen in de verte een lichtje.

'Joram?' zei Kaatje.

'Catharina?' zei nu een andere stem.

'Vader!' riep Kaatje. Ze rende naar het licht toe en even later waren ze bij elkaar. Kaatje gaf de koning een knuffel en keek toen ernstig naar Joram en Ouwe Bram. Ze vertelde over de bijeenkomst van TOP, wat de Zwarte Dame had gezegd, en het dwalen door de gangen. 'En nu ben ik Theetje dus kwijt,' besloot ze. 'Ze zal wel doodsbang zijn, helemaal alleen in het donker. Had ik maar beter opgelet…'

'Het is jouw schuld niet, Kaatje,' zei Joram troostend. 'We zullen haar zo gauw mogelijk gaan zoeken.'

Kaatje staarde haar vader aan. 'Wij vonden de kamer met de puzzels. Hoe lang weet u al van deze gangen, vader?'

'Dus júllie hebben mijn ontbijt opgepeuzeld,' zei de koning. Toen vertelde hij hetzelfde verhaal wat hij eerder aan Joram en Ouwe Bram had verteld. 'Vanwege je moeder heb ik het altijd verzwe-

gen,' zei hij ten slotte. 'Ik was bang dat jullie anders je mond voorbij zouden praten.'

'Hm,' zei Kaatje. 'Toch zijn er meer mensen die ervan af weten. Bijvoorbeeld die Zwarte Dame.'

'Wie is dat?' vroeg de koning. 'Klinkt als iets uit een schaakspel.'

'Dat weet niemand, vader. Blijkbaar is ze op een dag verschenen. Zomaar. Samen met haar assistent.'

Joram knikte. 'En zo te horen is die Zwarte Dame een naar portret. Misschien moeten we iemand neerzetten in TOP. En we moeten niet alleen de Zwarte Dame in de gaten houden, maar ook beide kroonprinsen. Dat kan alleen als we opsplitsen.'

De koning begon te sputteren. 'Maar dat is toch veel te gevaarlijk? Kunnen we niet beter allemaal bij elkaar blijven?'

'Het is nu overál gevaarlijk, vader.'

Joram keek hen stuk voor stuk aan. 'Ik stel voor dat we een taakverdeling maken. Mee eens?'

Iedereen knikte ernstig.

Na een hoop heen en weer gepraat werd uiteindelijk besloten dat de adjudant en Joram samen naar Ghamarije zouden gaan. Ouwe Bram en de koning gingen naar TOP en ze zouden ook naar Theetje zoeken. Kaatje zou gaan spioneren bij prins Frederik.

'Maar hoe wilt u in Ghamarije komen, meneer de Jolige?'

Joram klopte de adjudant op de rug. 'We verzinnen wel iets.'

'In ieder geval moeten we ons vermommen,' zei Kaatje. 'Anders zijn we er zo bij.' Ze legde een vinger langs haar neus. 'Eens even denken… Op zolder staat de oude verkleedkist van Theetje en mij. En er liggen vast nog wel oude kleren van onze familie. Die gooiden nooit iets weg.'

'Maar hoe komen we daar?' vroeg Joram. 'En kunnen we er wel bij? De muur gaat dwars door het kasteel.'

'Dat zien we wel als we er zijn,' zei Kaatje. 'Vader, kun jij ons de weg wijzen?'

De koning aarzelde. 'Tja… euh…'

'Zal ik voorgaan, majesteit?' vroeg de adjudant.

De koning knikte opgelucht. 'Dat is goed, assistent-puzzelaar eerste klasse!'

De adjudant ging voorop met de lantaarn hoog in de lucht. Kaatje volgde als laatste. Ze keek over haar schouder naar de diepe duisternis achter hen.

Waar zou Theetje zijn?

Gelukkig was het deel van de zolder waar de verkleedkist stond aan hun kant van de muur. Bij het licht van de twee lantaarns haalde Kaatje van alles uit de kist: hoeden, sjaals, broeken, jurken, hemden, laarzen, maskers, valse neuzen, opplaksnorren en -baarden en nepjuwelen.

'Nou,' zei ze toen de kist helemaal leeg was, 'hier moet toch wat bruikbaars tussen zitten!'

'Dat lijkt me ook, Kaatje.' Joram viste een avondjapon van glanzende zijde uit de stapel en hield deze voor zijn buik, terwijl hij zichzelf bekeek in een manshoge, staande spiegel. 'Staat dit me niet beeldig, luitjes?' zei hij met een overdreven hoge stem.

'Schattig, baas,' bromde Ouwe Bram. 'Je kunt zo naar het bal.'

Ze pasten van alles en nog wat tot iedereen de juiste kleren had gevonden voor zijn of haar opdracht.

Toen ze op het punt stonden de zolder te verlaten, vroeg Kaatje: 'Waar komen we straks weer bij elkaar?'

'Bij de Koppige Kater,' zei Joram. 'Als het lukt.'

IX

Nooit meer bonensoep!

Prins Ferdinand had een hekel aan bonensoep.

Hij zat aan een ruwhouten tafel helemaal boven in zijn paleis. Met zijn lepel roerde hij lusteloos in zijn bord, waar in het roestbruine nat hier en daar een boontje dobberde. Hij hield dan wel niet van bonensoep, maar er was niets anders. Gisteren was het koolsoep en het was nog maar de vraag wat er morgen op het menu stond. Hij vreesde het ergste.

De kroonprins van Ghamarije had niet alleen een hekel aan bonensoep. Hij had ook een hekel aan zijn kille paleis zonder kraak of smaak, waar de wind dag in dag uit klaaglijk door de kale zalen loeide. Een hekel aan Izegrim, een van zijn voorvaderen, die de roofburcht – want veel meer was het niet – lang geleden had laten bouwen. Hij had een hekel aan de lege schatkist en het stelletje klaplopers en armoedzaaiers dat zijn koninkrijk bevolkte, want van een kale kip valt nou eenmaal niets te plukken.

Hij had gehoopt dat alles zou veranderen als hij de helft van Ploenk erbij kreeg, maar alles was bij het oude gebleven. Ploenk bleek helemaal niet rijk te zijn, maar vreemd genoeg was het volk van Ploenk niet ongelukkig. Nu was dat wel anders, althans in zijn deel van Ploenk. De prins grijnsde grimmig. Hij had ze uitgeperst tot de laatste cent, maar veel had het hem niet opgeleverd. En daarna was hij weer net zo ontevreden als eerst.

Hij stond op, trok huiverend zijn grijze mantel strakker om zijn magere lichaam, en liep naar het enige venster in het vertrek. Van hieruit kon hij de hele vallei overzien, van Ploenk diep in het dal tot het suikertaartpaleis hoog op de andere berg, waar nu uit alle ramen licht scheen. 'Belachelijk geval,' schamperde hij. Hij streek met zijn hand nadenkend langs het litteken op zijn linkerwang en toen over zijn spitse kin, die overging in een grijs sikje. 'Eigenlijk moet ik de rest van Ploenk er ook bij hebben. Eigenlijk moet ik heel Lamaarwaaie erbij hebben. Dan keil ik die dikke in de kerker, op een dieet van water en brood.'

Maar hoe kreeg hij dat voor elkaar? Het was hem ternauwernood gelukt een legertje op de been te brengen voor de bezetting van Ploenk. Lamaarwaaie beschikte over veel meer manschappen, die ook nog eens stukken beter bewapend en geoefend waren. En misschien was Frederik intussen precies hetzelfde van plan als hij. Onwillekeurig keek hij achter zich, maar er was verder geen mens in de sobere eetzaal.

Op dat moment werd er geklopt.

Er ging een schokje door de kroonprins, maar hij herstelde zich snel en snauwde: 'Binnen!'

Een schriele gestalte in een mantel met een kap die over zijn gezicht zwiebelde, trippelde *sluip sluip* op sloffen de eetzaal in. Hij deed de deur achter zich op slot en keek spiedend om zich heen in de lege ruimte.

'We zijn alleen, agent zeven-nul-nul,' zei de prins vermoeid. 'Niemand heeft zich verstopt onder de tafel, er zit niemand tegen het plafond geplakt, en er staat ook niemand aan de andere kant van het raam. Wat trouwens nogal moeilijk is als je bedenkt hoe hoog we hier zitten en hoe steil de burcht is.'

'Weet ik, sire, weet ik,' lispelde de geheim agent, terwijl hij nog steeds om zich heen tuurde. 'Maar men kan maar beter het zekere voor het onzekere nemen in deze duistere tijden.'

'Hier zijn we zo veilig als maar kan. De muren zijn een meter dik en er is maar één venster; geen mens kan ons afluisteren of gadeslaan. Je kunt die kap nu dus wel eens af doen. Ik zie graag met wie ik praat.'

'Voor uw en mijn veiligheid is het verstandiger als ik mijn ware zelf verborgen houd, sire. Zo kan ik beter mijn werk verrichten.'

'Goed dan,' gromde de kroonprins. 'Is er nieuws? Of kom je alleen maar een beetje geheimzinnig doen?'

'Schokkend nieuws, sire. Prins Frederik heeft twee gevangenen bij de koning en de adjudant in de kerker van Ploenk laten gooien... Ouwe Bram en Joram de Jolige.'

Prins Ferdinand keek met grote ogen naar hem op. 'Maar die waren toch op reis met Theodora en Catharina?'

Zeven-nul-nul knikte. 'Blijkbaar zijn ze weer terug.' Toen haalde hij onder zijn mantel een opgerold vel papier vandaan. 'En dit hangt sinds vanochtend vroeg op huizen, bomen en muren door heel Lamaarwaaie. Ik heb het via mijn geheime contacten aldaar bemachtigd.'

De kroonprins fronste zijn wenkbrauwen. 'Hoe heb je dat voor elkaar gekregen, met die muur ertussen?'

'Wij communiceren met behulp van postduiven, sire,' legde de geheim agent uit. 'Ze zijn zo goed afgericht dat ze zelfs lichte voorwerpen, zoals deze, met z'n tweeën over de muur heen kunnen vliegen.' Hij legde het papier op de tafel en streek het glad. In grote letters stond erop:

'Wat heeft dít te betekenen!' brieste de kroonprins.

'Volgens mij betekent het,' sprak zeven-nul-nul met gedempte stem, 'dat koningin Theodora inderdaad weer in het land is.

Waarom laat prins Frederik dit anders opeens overal ophangen?'
'Theodora terug?' klonk het ongelovig.
Zeven-nul-nul tikte op het papier. 'En haar zuster ook, zo te zien.'
De kroonprins dacht na. Theodora terug in Ploenk... Dat betekende dat hij een nieuwe kans had om aan de voorwaarde te voldoen!
De voorwaarde die een van zijn verre voorouders gesteld had, maar waaraan zijn vader, zijn grootvader, zijn overgrootvader en zijn betovergrootvader en bet-betovergrootvader niet hadden kunnen voldoen. En als dat gelukt was, dan zouden alle schatten die zijn voorvaderen bij elkaar hadden geroofd, van hem zijn! En hij zou zich eindelijk *koning* kunnen noemen!
Op slag werd zijn gelaat zo grauw als zijn roofburcht. Stel dat Theodora niet wilde? Ze had tenslotte al zijn aanzoeken afgewezen, keer op keer op keer. Wat moest hij dan? Hij sloeg met zijn vuist op tafel. De bonensoep kolkte als een woeste zee in het bord en klotste eroverheen. 'Ze hééft niets te willen!' Hij spuugde de woorden uit.
'Sire?' Zeven-nul-nul keek hem verwonderd aan. 'Is alles goed?'
Prins Ferdinand was de geheim agent helemaal vergeten. 'Het kon niet beter!' riep hij. 'Stuur soldaten op pad. Ze moeten op zoek naar Theodora. Laat ze overal op, onder en achter kijken. Desnoods halen ze heel Ghamarije overhoop!'
'Zoals u wenst, sire. Maar de koningin is gezien in Lamaarwaaie.'
'Voor hetzelfde geld komt ze hier terecht en ik wil Vreterik vóór zijn. Laat je contacten in Lamaarwaaie hun ogen en oren openhouden voor Theodora en Catharina.'
'Jawel, sire!' Zeven-nul-nul salueerde en verliet het vertrek.
Prins Ferdinand tuurde weer naar buiten. Veel te lang was hij beleefd gebleven, had hij afgewacht, had hij gehoopt Theodora te paaien met fraaie, door zijn inmiddels ontslagen hofdichter bedachte woorden. Met bloemen en banket. Maar nu zou het gebeuren. 'Als het niet goedschiks kan,' sprak hij, 'dan maar kwaadschiks!' Met één armbeweging maaide hij het bord van tafel. 'Nooit meer bonensoep!!'

X

Het aanzoek

De deur werkte niet mee. Pas toen Theetje er met haar hele gewicht tegenaan leunde, ging hij krakend open. Een flauw schijnsel kwam haar tegemoet, zodat ze eindelijk kon zien waar ze was. Ze stond in een soort halletje met hoge stenen wanden. Recht voor haar was in de rotsen een trapje uitgehakt, dat om een hoek verdween.

Omdat Theetje niet meer terug wilde naar de duisternis en hoopte een uitgang te vinden, beklom ze het trapje. Toen ze eenmaal de hoek om was, bleek het steil omhoog te lopen. Na een korte aarzeling liep ze verder. 'Niet omkijken,' zei ze tegen zichzelf, 'dan krijg je hoogtevrees. Gewoon door blijven lopen, zo kom je vanzelf boven.'

Ze hoopte maar dat ze gelijk kreeg.

Er leek geen einde te komen aan de trap, maar ten slotte stapte ze inderdaad op de laatste tree. Veel ruimte was er hier niet; het was net of ze in een kleine, vierkante doos zat opgesloten. Van boven haar kwam licht door vier smalle kieren. Ze voelde aan het plafond. Het was van hout. Ze duwde ertegen. Het hout gaf een beetje mee. 'Het is een luik!' riep ze uit.

Theetje begon harder te duwen, maar iets leek het luik tegen te houden. Ze duwde zo hard als ze kon, maar het bleef koppig op zijn plaats. Was het soms vergrendeld? Lag er een grote steen bovenop? Haar armen vielen omlaag en ze zuchtte diep. Zo dicht bij de uitgang en nu kon ze er niet uit!

Opeens werd ze boos. 'Stel je niet zo aan!' sprak ze streng tegen zichzelf. 'Je hebt gevochten met zeerovers en met wachters met kromzwaarden, je hebt slimme plannetjes bedacht, je hebt leren vechten met een zwaard, je hebt op piratenschepen gevaren... Je laat je toch niet tegenhouden door een stom luik? Kom op, Theetje, duwen!' Ze haalde diep adem, zette haar handen tegen het hout en duwde uit alle macht.

Na een tijdje klonk er een vreemd geluid, alsof er iets knapte, en opeens was alle weerstand verdwenen. Het luik zwaaide piepend open. Tegelijk met een zacht ochtendlicht vielen er kluiten aarde, pollen onkruid en afgebroken stengels klimop naar binnen.

'Jakkes!'

Theetje wreef plantresten uit haar ogen en spuugde aarde uit. Toen klauterde ze naar buiten en keek verbaasd om zich heen. Stokoude bomen omringden haar en over de grond woekerden struiken. In de verte zag ze een weggetje met hier en daar een krakkemikkig huisje. Nergens was een mens te bekennen. Ze gooide het luik achter zich dicht. Voor alle zekerheid veegde ze er wat aarde overheen en bedekte het met wat struiken. Ik moet goed onthouden waar het is, dacht ze, dan kan ik terug als er iets misgaat.

Langs dit pad stonden geen bomen, zoals in Ploenk. Alles was hier grauw, kaal en dor, alsof er nooit regen viel. Terwijl ze het pad volgde, vroeg ze zich af waar ze ergens was. Ploenk was het in elk geval niet. Dus moest het Ghamarije zijn of Lamaarwaaie. Waarschijnlijk eerder Ghamarije dan Lamaarwaaie, want ze had de nodige verhalen gehoord over Ferdinand en de manier waarop hij zijn eigen land en mensen kaalplukte.

Theetjes ogen werden groot toen ze besefte wat dit betekende. Als dit inderdaad Ghamarije was, wilde dat zeggen dat de geheime gangen ónder de muur door gingen! Dat moest ze zo gauw mogelijk vertellen aan Joram en Kaatje. Ze draaide zich om en wilde terugrennen naar het luik.

'Halt!'

Twee soldaten kwamen aan lopen vanuit de richting van het luik. Zouden ze haar eruit hebben zien komen? Theetje versteende van schrik. Haar weg terug was afgesneden!

Een van hen kwam naar haar toe en rukte haar kap naar achteren.

De soldaten keken elkaar even aan en knikten. Toen greep de ene soldaat haar bij haar arm en hield haar stevig vast.

'Wat... wat gaan jullie doen?' vroeg Theetje beverig.

'U gaat mee naar het kasteel van prins Ferdinand, hoogheid!' zei de soldaat die haar vasthield. 'Hij zal wel blij zijn, want hij was toevallig net naar u op zoek.'

'Ferdinand?' Haar hart begon te bonzen. Dus ze was inderdaad in Ghamarije! Ze dacht aan de norse heerser en zijn grauwe burcht. Ze had de kroonprins nog nooit in het echt gezien, maar alle verhalen die ze in de Koppige Kater over hem had gehoord, stelden haar niet bepaald gerust. 'Jullie vergissen je,' zei ze toen. 'Ik ben geen hoogheid... ik ben maar een gewoon meisje.'

'Ha!' smaalde de soldaat. 'Ja hoor. Een gewoon meisje dat als twee druppels water lijkt op Theodora van Ploenk!'

De andere soldaat floot op zijn vingers en even later klonk het geratel van karrenwielen.

Eerst was Theetje op een open kar naar het kasteel van Ghamarije gebracht, nagestaard door voorbijgangers alsof ze een misdadiger was, op weg naar de galg. Vervolgens hadden de soldaten haar naar een kamertje gevoerd, helemaal boven in de burcht. En nu zat ze daar, op een harde stoel, met links en rechts een soldaat met een zwart kuras en een hellebaard.

Na een tijdje ging de deur open. Er kwam een magere man binnen, helemaal in het grijs gekleed. Er ging een schokje door Theetje heen, want zijn linkerwang werd ontsierd door een scherp litteken. Net zoals bij de schurken in haar romannetjes!

De nieuwkomer maakte spottend een buiginkje. 'Welkom, Theodora, in Ghamarije! Het spijt me dat we elkaar op deze manier ontmoeten. Een diner bij kaarslicht had mijn voorkeur gehad, maar u reageerde niet erg happig op mijn fondanten harten en alle andere geschenken, dus...'

'U vergist zich, prins Ferdinand,' onderbrak Theetje hem, want ze begreep dat dit de kroonprins was. 'Ik lijk misschien wel op

Theodora, maar dat komt omdat ik mijn zusje ben. Eh… Ik bedoel dat ik Catharina ben. Dus ik kan haar niet zijn. Theodora. Want die is hier helemaal niet. Ze is hier ergens heel ver vandaan. En ook niet in Lamaarwaaie,' zei ze gauw.

De prins fronste even zijn wenkbrauwen, toen maakte hij een wegwuivend gebaar. 'Theodora, Catharina… wat maakt het uit? Geen mens ziet het verschil. Zolang de notaris maar denkt dat jij haar bent.' Hij zweeg abrupt, alsof hij zijn mond voorbij had gepraat.

Theetje keek hem verwonderd aan. 'De notaris?'

'Ach, ik kan het je eigenlijk ook best vertellen, want je zult dit kasteel niet verlaten voordat ik heb wat ik wil.' Prins Ferdinand kwam vlak bij haar staan. 'Lang lang héél erg lang geleden heeft een van mijn voorouders een testament gemaakt. Daarin staat dat de prins van Ghamarije die trouwt met de prinses van Ploenk een plattegrond krijgt.'

'Een plattegrond?' zei Theetje. 'Als hij met de prinses van Ploenk trouwt? Wat moet je nou met een plattegrond?'

'Het is niet zomaar een plattegrond, Theodora.' Hij grijnsde. 'Er staat een rood kruisje op, en op die plek ligt een enorme schat verborgen. Die mijn voorvaders bij elkaar hebben geroofd.'

Theetje verbleekte. 'Dus… dus je wilt alleen maar met me trouwen om… om die schat te krijgen?'

'Dat lijkt mij anders reden genoeg!' zei de kroonprins. 'Eerst was het ook om Ploenk in handen te krijgen, maar jij bent nu een koningin zonder land, ha ha! Bovendien heb ik nu al de helft ervan. En de rest verover ik zodra ik een leger heb gekocht van mijn schatten!'

Theetje geloofde haar oren niet. 'Maar… maar,' sputterde ze. 'Ik ben geen prinses, ik ben koningin!'

'Ja, maar een *ongetrouwde* koningin. Dus nog steeds op zoek naar een prins.' Ferdinand zocht naar iets in zijn gewaad. Hij haalde een zwart doosje tevoorschijn en klapte het open. Op een bedje van paars fluweel lag een gouden ring met een flonkerende edelsteen. Het was alsof hij de zon in zijn handen hield.

Theetje had nog nooit zoiets moois gezien. Tegelijk begon haar hart te bonzen, want ze wist wat er nu komen ging.

De kroonprins nam het sieraad uit het doosje en pakte met zijn andere hand Theetjes rechter ringvinger stevig beet, alsof hij bang was dat ze hem terug zou trekken. 'Koningin Theodora van Ploenk, wilt u met mij, kroonprins Ferdinand van Ghamarije, trouwen?' Hij grijnsde onprettig. 'Op deze vraag is maar één antwoord mogelijk, vrees ik…'

'Dat vrees ik ook,' zei Theetje, die knalrood werd. Ze sloeg de ring uit zijn hand en schreeuwde: 'Nooit van z'n leven!!'

'Zoek die verdraaide ring!' riep de kroonprins tegen zijn wachters. 'Dat ding is een fortuin waard!' Terwijl zijn soldaten als zwarte kevers op handen en voeten over de grond scharrelden, keek hij Theetje dreigend aan. 'Misschien ben je inderdaad Catharina; ik heb gehoord dat ze een pittig karakter heeft. Maar wie je ook bent, je blijft hier tot je mij je jawoord geeft!'

'Dan kunt u lang wachten, prins Ferdinand!' zei Theetje met trillende stem. 'Want ik zal u nooit nooit *nooit* mijn jawoord geven!'

'Zelfs niet in ruil voor enkele onbetaalbare sieraden?' probeerde de prins. 'Want die zullen er vast tussen zitten. Tussen de schatten.'

Nu werd Theetje vuurrood. 'Ik ben niet te koop! Voor geen enkele prijs!'

'Goed,' zei hij, met een stem die kalm was van ingehouden woede. 'We zullen zien wie de langste adem heeft, Theodora. Mocht je je bedenken, ik zit een paar deuren verderop.' Toen verliet hij, gevolgd door de soldaten, het vertrek.

Theetje hoorde dat de deur op slot werd gedraaid en dat er grendels voor werden geschoven en een zware balk. Ze liep naar het enige venster, keek naar buiten, en zuchtte. Veel te steil en veel te hoog. Alleen een vogel zou hieruit kunnen ontsnappen.

XI

Over de muur

Na veel doodlopende gangen en gangen waar juist geen einde aan leek te komen, waren Joram en de adjudant bij een touwladder gekomen.

Joram tuurde omhoog en helemaal bovenaan ving hij een glimp blauwe hemel op. 'Eindelijk!' verzuchtte hij. 'Daglicht!'

'Gelukkig,' zei de adjudant. 'Dat ding begon steeds zwaarder te worden.' Hij gaf een tikje tegen de plunjezak die hij op zijn rug droeg. Er klonk een geluid als van rammelend metaal. 'Bovendien begon ik te vrezen dat we reddeloos verdwaald waren, meneer de Jolige.'

Joram keek hem vrolijk aan. 'Zelfs ik zag het even somber in. En dat wil wat zeggen! Maar nu begint het pas, want we moeten nog aan de andere kant zien te komen.'

De adjudant deed nog een stap en stootte toen met zijn voeten tegen iets aan. Hij bukte zich en floot verrast. 'Alsjemenou!'

'Wat is er?'

'D'r liggen hier wapens, meneer de Jolige. Zomaar.'

'Wapens?' Joram boog zich voorover. 'Dat komt prima van pas. Laat eens kijken?'

Het waren twee korte zwaarden, die tegen de muur lagen.

Jorams gezicht vertrok in een frons. 'Maar dat zijn de wapens van Kaatje en Theetje... Hier moeten ze zijn binnengekomen!' Hij pakte de zwaarden en gaf er eentje aan de adjudant. 'Kom, naar boven.'

Achter elkaar aan klommen ze de lange touwladder op. Toen ze opdoken uit de gedempte put, zagen ze dat ze vlak bij het pad naar het paleis van Ploenk waren.

'Aha,' zei Joram.

Haastig slopen ze naar het Woelige Woud en liepen langs de muur, met genoeg bomen ertussen zodat de wachters hen niet konden zien.

'Ik snap het niet, meneer de Jolige,' fluisterde de adjudant. 'Ergens moet toch een poort zitten? Anders kun je toch niet van de ene kant van Ploenk naar de andere komen?'

'Misschien is dat ook niet de bedoeling,' zei Joram, terwijl hij tussen twee struiken door gluurde naar een wachter die met een geweer in de aanslag heen en weer paradeerde.

'Maar als er geen poort is, hoe komen we dan in Ghamarije?'

'In dat geval zullen we over de muur heen moeten, adjudant.'

'*Over* de muur heen?' Het mannetje keek vertwijfeld omhoog. 'Maar...' begon hij. 'Hoe...'

Joram stak een hand op. 'Ik moet nadenken.' Hij tuurde naar de toppen van de bomen, keek naar de bovenkant van de muur, en toen opnieuw naar de bomen. 'Adjudant, wat is volgens jou de hoogste boom?'

De ander wees naar een reusachtige dennenboom vlak achter hen. 'Die daar, volgens mij. Hoezo, wat bent u van plan?'

Joram grijnsde. 'Kun je goed klimmen?'

'Nou ja, vroeger als jongen...'

'Maakt niet uit,' zei Joram. 'Ik ga als eerste, dan zie je wel hoe het moet.'

'Maar wat wilt u dan d...?'

'Luister, terwijl jij de wachters in de gaten houdt, klim ik tot boven in die boom. Dan wordt hij topzwaar en buigt door, tot ik over de muur heen zwiep. Als ik het goed heb geschat, kom ik daar weer tot vlak boven de grond terecht. Als de kust veilig is fluit ik drie keer. Goed?'

'Drie keer.' De adjudant knikte. 'Doet u wel voorzichtig?'

'Tuurlijk. Geef mij die plunjezak maar.' Joram stak het korte zwaard achter zijn riem en sloeg de plunjezak over zijn schouder. Toen begon hij te klimmen. Intussen keek de adjudant naar de wachters, maar die waren op dat moment gelukkig net uit het zicht.

Razendsnel klom Joram omhoog, tot hij bijna bovenin was. De boom was hier op zijn smalst en begon inderdaad door te buigen, maar tegelijk klonken er onheilspellend knakkende en krakende geluiden.

'Oeps!' zei de vrolijke rover tegen zichzelf. 'Dat was niet de bedoeling, jongens. Komt zeker door die plunjezak.'

Op dat moment kwam er net een wachter langs. De geluiden in de boom hadden zijn aandacht getrokken en hij keek spiedend omhoog.

De adjudant, die de wachter vanuit de struiken gadesloeg, zette zijn handen aan zijn mond en bootste zachtjes een uil na. '*Oehoe, oehoe.*'

De andere wachter kwam bij zijn collega staan en keek ook naar boven. 'Tisser?'

'Ik hoorde iets kraken, daarzo.' Hij gebaarde naar een boom.

'*Oehoe, oehoe,*' deed de adjudant weer.

'Da's gewoon een uil, jongen.' Hij trok zijn collega mee. 'Kom, ik heb nog wat lekkers onder de kurk. We lopen al uren wacht, ik vind dat we wel een slokje verdiend hebben.'

Ze verdwenen uit het zicht en de adjudant haalde opgelucht adem. Ook Joram, die de wachters had zien praten en wijzen, durfde nu weer adem te halen. Voorzichtig kroop hij de laatste drie meters omhoog en toen ging de dunne boomstam met een zwieperd over de muur heen. Joram klemde zich uit alle macht vast, terwijl de boom omlaag dook en precies een meter boven de grond bleef hangen. Meteen liet hij los en de boomstam zwiepte weer terug als het elastiek van een katapult.

De adjudant zag hoe de boomtop leeg terugfloepte.

'Hopelijk is het allemaal goed gegaan,' mompelde hij. Angstvallig wachtte hij op het afgesproken teken.

Toen klonk er een fluitje. En nog een. Even bleef het stil. De adjudant zette zich schrap – nog een fluitje – en ontspande zich weer.

Nu was het zijn beurt!

Ook hij stak zijn zwaard achter zijn riem, en nadat hij gekeken had of er niemand in de buurt was, begon hij te klimmen. Toen hij bijna boven was, begon de boom opnieuw te kraken en nu hoorde hij bovendien duidelijk een scheurend geluid. Snel klom hij verder omhoog. Opeens boog de stam door, en terwijl de adjudant omlaag suisde, klonk er een droge knak. Drie meter boven de grond aan de andere kant, brak de tak af, en met een kreet knalde de adjudant boven op Joram.

'Neem me niet kwalijk, meneer de Jolige,' zei het mannetje terwijl hij snel overeind krabbelde. 'Gaat het?'

'Ja hoor. Alles is nog heel.' Joram stond op.

'Moeten we ons al verkleden?'

Joram schudde het hoofd. 'Dat doen we pas als we vlak bij het kasteel van Ferdinand zijn. Eerst moeten we nog dit deel van Ploenk door en dan nog helemaal de berg op.' Hij trok de plunjezak recht en begon te lopen. 'Nu moeten we gauw het Woelige

Woud weer in, voordat de wachters aan deze kant ons in de smiezen krijgen.'

'Denkt u werkelijk dat ze erin zullen trappen, meneer de Jolige?' vroeg de adjudant terwijl hij achter Joram aan begon te sjokken. 'Op het kasteel, bedoel ik?'

'Als je er zelf in gelooft, dan geloven zij het ook.'

'Nou, dat hoop ik dan maar.' Toen vroeg hij: 'Waarom wilde u eerst nog bij de keuken langs?'

'Omdat ik nog wat dingen nodig had om onze vermomming compleet te maken,' antwoordde Joram zonder zich om te draaien.

'Nou, ik ben benieuwd...' mompelde de adjudant.

Het was inmiddels middag en de afstand tussen de adjudant en Joram was steeds groter geworden, ook al was Joram af en toe blijven staan tot het mannetje weer bij hem in de buurt was gekomen. Ze hadden het woud inmiddels ver achter zich gelaten en waren nu in Ghamarije. Het land was hier zo kaal dat er nauwelijks schuilplekken waren. Gelukkig waren ze geen soldaten tegengekomen, alleen wat boeren met magere gezichten.

'Zijn we er al bijna?' kreunde de adjudant.

'Ja, beste kerel,' antwoordde Joram. 'Ik kan het kasteel hiervandaan al zien!' Hij draaide zich om en gaf de ander een knipoog. 'Tijd om onze vermomming aan te trekken.' Hij zwaaide de plunjezak van zijn rug, zette hem met een plof op de grond, en maakte hem open. 'Gelukkig is hier net een bosje waarachter we ons kunnen verkleden.' Hij knikte naar een groepje verdorde struiken, die ongeveer tot aan hun schouder reikten.

Achter het bosje haalde hij de zak leeg. Er kwamen twee koksmutsen uit, twee zwart-wit geblokte koksbroeken, twee niet meer zo witte koksjasjes, een pak meel, pollepels, een grote pan met deksel, en een deegroller.

Joram legde alles netjes naast elkaar op de grond. 'Nou,' zei hij grijnzend, 'dat moet genoeg zijn!'

De adjudant keek verwonderd naar de keukenspullen en het pak meel. 'Hebt u dat meegenomen uit de keuken?'

Joram knikte enthousiast. 'Ja, goed hè?'

'Eh… wat wilt u daarmee doen?'

'Wacht maar af,' zei Joram. Hij duwde de adjudant een jasje, een broek en een muts in handen en ging zich toen razendsnel omkleden.

Toen ze zich even later allebei verkleed hadden, liet Joram peinzend zijn ogen over de adjudant gaan. 'Hm, net wat ik dacht.' Hij nam het pak meel, maakte het open en begon de kleren, handen, laarzen en het gezicht van de adjudant ermee te bestrooien.

'Wat doet u nu, meneer de Jolige?' vroeg het mannetje verbijsterd.

'Da's om het echter te maken. Bovendien zijn we zo minder goed herkenbaar.' Toen hij klaar was, bekeek hij het resultaat. 'Prima! Net of je zo uit de keuken komt. Nu nog een pollepel in je zak.' Hij raapte de deegroller op. 'Hier, houd deze maar vast.' Daarna gaf hij het pak meel aan de adjudant. 'Zo, en nu mag je mij bepoederen!'

De adjudant aarzelde even, maar bestrooide toen op zijn beurt Joram rijkelijk met het meel.

'Mooi zo, dat is voldoende,' zei Joram. Hij raapte hun oude kleren op en deed ze samen met de twee zwaarden in de plunjezak, die hij achter de struik verborg. 'Vooruit, op naar het kasteel!'

'Maar nu hebben we geen wapens,' sputterde de adjudant.

'Jij hebt een deegroller, daar kun je ook een flinke tik mee uitdelen hoor. En als het goed is, hebben we helemaal geen wapens nodig.'

Ze liepen in stilte verder en na een tijdje waren ze zo dichtbij, dat ze de twee wachters bij de poort van het kasteel konden zien.

'Laat mij het woord maar doen,' fluisterde Joram vanuit zijn mondhoek tegen de adjudant.

'Mij best,' zei de adjudant. 'Ik heb toch geen idee wat ik zou moeten zeggen, meneer de Jolige.'

De wachters kruisten hun hellebaarden toen de twee koks dichterbij kwamen.

'Halt!' baste de ene. 'Wat komen jullie doen?'

'Het lijken wel twee spoken,' grapte de andere.

Joram hield de pan omhoog. 'We zijn de koksmaatjes. We waren even naar buiten gewipt. Om kruiden te plukken. Voor de soep.'

De adjudant knikte. 'Voor de soep.'

'Kruiden?' zei de ene wachter. 'Ik wist niet dat er daarbuiten nog iets eetbaars groeide.' Hij fronste zijn wenkbrauwen. 'En waarom hebben we jullie dan niet naar buiten zien komen, hm?'

'Euh, omdat we achterom zijn gegaan,' verzon Joram gauw.

'Achterom?' De wachter keek naar zijn collega. Zijn frons verdiepte zich. 'Wist jij dat er een achterom was?'

Zijn maat schudde het hoofd. 'Nee, maar ik ga ook nooit achterom. Ik neem altijd de voordeur. Ha ha!'

'Maar goed,' zei Joram, terwijl hij ongeduldig van de ene voet op de andere hipte. 'We moeten als de wiedeweerga naar binnen, want nu zijn onze pluksels nog vers. En de prins zal het niet fijn vinden als hij verlepte kruiden in zijn soep krijgt, omdat zijn wachters ons tegenhielden.'

De wachters keken elkaar weer aan.

'Tja, de baas moppert altijd dat er geen smaak aan z'n soep zit,' zei de ene. Hij dacht even na. 'Misschien klaart z'n humeur wat op als er eindelijk iets te proeven valt. Denk je niet?'

'Zou kunnen,' gaf de andere toe.

Ze haalden de hellebaarden weg.

'Vooruit dan, maar de volgende keer gaan jullie door de voordeur. Gesnopen?'

'Gesnopen,' zei Joram. 'De groeten!'

Snel liepen ze naar binnen.

'Waar moeten we nu heen, meneer de Jolige?'

'We moeten uitzoeken waar de prins zit, zodat we hem kunnen afluisteren.' Hij wilde nog wat zeggen, maar toen klonken er voetstappen. Steelse, stiekeme *sluip sluip*-voetstappen. 'Sst,' deed Joram. Ze doken weg achter een grote kist in de hal en zagen hoe een smalle gedaante in een zwarte mantel met kap uit een deuropening glipte en op trippeltenen de trap op schoot.

Joram gebaarde met zijn hoofd dat ze hem moesten volgen.

Op veilige afstand liepen ze achter de gedaante aan, trap na trap na trap, tot helemaal boven in de burcht.

'Dit is de laatste,' fluisterde Joram. 'Kijk maar. Hier blijven we wachten.'

Ze drukten zich plat tegen de muur en hielden hun adem in.

Iets verderop ging nauwelijks hoorbaar een deur open en weer dicht.

Toen slopen Joram en de adjudant de laatste trap op.

XII

Verdeel en heers

'Waaaaaaaaaaaat?!!'
Hoewel Zwarte Loper zelfs bij het licht van zijn kaars het gezicht van de Zwarte Dame niet kon zien, omdat de kap eroverheen hing, wist hij dat ze op ploffen stond. Hij had haar zojuist het verschrikkelijke nieuws verteld. En dat was nog niet eens alles...
'Ontsnapt?!' brieste ze. 'Die onbenul van een koning! Hoe heeft hij dat voor elkaar gekregen?' Ze zweeg even. 'Nou ja, veel kwaad kan die kwibus niet uitrichten. Waarschijnlijk hebben ze hem zo weer te pakken; ze hoeven alleen maar de puzzelstukjes te volgen die hij uit zijn mouw schudt.'
Zwarte Loper wachtte een tijdje en schraapte toen zijn keel. 'Eh, de koning is niet de enige die ontsnapt is…'
'O? Ach, dat malle adjudantje van hem – die assistent-prutser eerste klasse –heeft zeker ook de benen genomen.'
'Inderdaad, maar er zaten nog meer lieden in de kerker…' Hij slikte. 'Ouwe Bram en Joram de Jolige… En die zijn ook weg.' Nu zul je het krijgen, dacht Zwarte Loper.
'Zijn ze... in Ploenk? Dat kan maar één ding betekenen!!' riep de Zwarte Dame. 'Waar die zogenaamde raadsman is, is Theodora,' ging ze nu iets minder luid verder. 'En waar die rover is, is Catharina. Welk een gruwel! Als het volk hiervan hoort, kunnen wij ons plan wel vergeten!' Ze zweeg abrupt en het was duidelijk dat haar brein nu op volle toeren draaide. 'Verdeel en heers,' siste ze na een tijdje tussen opeengeklemde tanden.
'Pardon?' Zwarte Loper had geen idee wat ze bedoelde.
'Verdeel en heers. Nu Catharina en Theodora weer terug zijn in Ploenk, moeten wij de zaken versnellen. Voordat ze ergens opdui-

ken, moeten wij hen verdacht maken. Dan ziet het volk hen niet meer als bevrijders. En Frederik en Ferdinand wantrouwen elkaar. Er hoeft maar iets te gebeuren en…'

'En dan?' vroeg Zwarte Loper.

'Moeten wij echt álles uitleggen?' Langzaam, alsof ze tegen een kind van drie sprak, ging ze verder. 'We zetten de kroonprinsen tegen elkaar op. Ze zullen elkaar in de haren vliegen en hun legers op elkaar afsturen. Zodra die elkaar in de pan hebben gehakt, komt Trots Op Ploenk in actie. We redden het koninkrijk, verjagen de bezetters én Catharina en Theodora. In één moeite door bezetten wij beide buurlanden. Het volk zal ons eeuwig dankbaar zijn en wij zijn de nieuwe heerseres van Groot-Ploenk!'

'Aha.' Hij begon het te begrijpen. 'Maar hoe wilt u dat allemaal zo gauw voor elkaar krijgen?'

Er klonk een triomfantelijk lachje en toen vertelde ze hem haar plan.

'Maar dat is geniaal, met uw welnemen!' zei hij.

'Ik bén ook geniaal,' zei de Zwarte Dame.

'Als ik zo vrij mag zijn…' begon Zwarte Loper. 'Uw belofte dat ik in ruil voor mijn hulp een vorstelijke beloning krijg en een hoge positie in Groot-Ploenk? Die bent u toch niet vergeten?'

'Wij zullen ons woord houden, Zwarte Loper. Zodra wij aan de macht zijn, zullen wij jou benoemen tot minister-president!'

Zwarte Loper zeeg met knakkende knieën voor haar neer op de grond en begon onder luid gesmak haar puntige laarsjes te kussen. 'Dank u, Zwarte Dame, duizendmaal dank!'

Ze duwde hem ruw van zich af, waardoor hij achterover tuimelde. 'Stop daar onmiddellijk mee! Wij houden niet van gelebber, anders hadden wij wel een hond genomen.'

'Verschoning,' zei hij, terwijl hij beschaamd overeind krabbelde. 'De blijdschap overmande mij, met uw welnemen.'

'Haal pen en papier,' commandeerde de Zwarte Dame. 'En dan zal ik je vertellen waarheen de geheime gangen nog meer leiden…'

XIII

Trouwplannen

De kroonprins van Ghamarije tuurde argwanend naar de vloeistof in zijn bord, alsof hij verwachtte dat er iets uit op zou duiken. In plaats daarvan dook er achter hem iets op.

De prins draaide zich als door een wesp gestoken om, met zijn zwaard in de aanslag. 'Zeven-nul-nul!' riep hij uit. 'Wil je dat nooit meer doen? Ik schrok me een ongeluk!'

'Pardon, sire, maar het is dringend.' De geheim agent aarzelde.

'Geeft Theodora mij haar jawoord?' vroeg prins Ferdinand. 'Valt het ons albasten popje nu al te zwaar?'

'Nee, het is iets anders…'

'Nou?'

'Het zit zo, de koning… hij is eh een beetje verdwenen. En de rest ook. De raadsheer van de koningin, de adjudant en die roverhoofdman.'

De kroonprins sloeg zijn zwaard zo hard tegen de muur dat de vonken ervan afspatten. 'Frederik!' riep hij toen. 'Hij zit hier natuurlijk achter. Wat voor smerig plannetje is hij nu weer aan het uitbroe…'

'Misschien staat daarover iets in deze brief.' Zeven-nul-nul legde een verzegelde envelop op de tafel. 'Deze werd mij overhandigd door een heerschap in een pij. Hij sprak met verdraaide stem en wilde mij niet zeggen hoe hij heette. Hoogst verdacht. Helaas was hij verdwenen voordat ik hem aan een stevig verhoor kon onderwerpen.'

Prins Ferdinand keek argwanend naar de envelop. 'Wat zit erin?'

'De boodschapper zei me dat alleen u hem mocht openmaken.'

De kroonprins scheurde de envelop open en zijn ogen schoten heen en weer over de inhoud. Toen hij alles gelezen had, maakte hij er

knarsetandend een prop van die hij naar de geheim agent gooide.
'Wat staat erin, sire?'
'Kijk zelf maar!'
Zeven-nul-nul streek de prop glad en las het volgende:

Geachte Hoogheid,
Als trouw onderdaan van Uwe majesteit, acht ondergetekende het zijn plicht U op
de hoogte te brengen van het navolgende. Mij is ter ore gekomen dat kroonprins
Frederik van Lamaarwaaie morgenochtend in het huwelijk zal treden met konin-
gin Theodora van Ploenk.
Met nederige hoogachting,
Iemand die het goed met U meent

'Maar hij kán helemaal niet met de koningin trouwen,' zei zeven-
nul-nul. 'Ze zit hiernaast!'
'Geen mens ziet het verschil,' gromde de kroonprins. 'Als hij zogenaamd met Theodora trouwt, zal iedereen zeggen dat ik Catharina
hier in de burcht heb zitten. En dan krijg ik de schat nooit in handen.'
'Dus moet u hem met gelijke munt terugbetalen,' zei zeven-nul-nul
sluw. 'U moet zo snel mogelijk met de echte Theodora trouwen,
nog voordat Catharina haar jawoord kan geven aan prins Frederik.'
'Je vergeet één ding, zeven-nul-nul... Theodora zal mij ten overstaan van heel Ghamarije én onze familienotaris haar jawoord moeten geven. Vrijwillig. Anders geldt het niet. Ik had gehoopt dat we
haar op andere gedachten konden brengen, maar ze is bijna net zo
koppig als haar zuster. Misschien ís ze wel haar zuster.'
'Daar weet ik wel iets op,' lispelde de geheim agent. 'Met uw goed-
vinden, zal ik een woordje met haar spreken. Intussen kunt u de
huwelijksaankondiging alvast laten verspreiden, middels posters en
postduiven. En de notaris laten uitnodigen. Morgenochtend treedt
u in het huwelijk!'
'Is dat niet een beetje voorbarig?' vroeg de kroonprins.
'Vertrouwt u maar op mij.' Zonder op een antwoord te wachten,
glipte zeven-nul-nul de kamer uit.

Op de gang bleef hij even staan. Had hij iets gehoord? Vlugge voeten op de vloer? Hij spitste zijn oren, maar het bleef stil. Speurend keek hij om zich heen, maar er was niets te zien. Alleen wat meel, op de grond voor de deur. Toen liep hij door naar de kamer waarin Theetje zat opgesloten.

Theetje zuchtte. Het was haar niet gelukt iets te verzinnen om uit de kamer te komen, laat staan uit de burcht. Wat zouden de anderen nu doen, vroeg ze zich af. Misschien hadden zij intussen wél een plan bedacht. Misschien waren ze al vlak bij haar en zou ze zo meteen...
Er klonken voetstappen op de gang. Zware voetstappen, maar ook lichte. Als van een meisje.
Theetjes hart maakte een sprongetje. *Kaatje!* Zie je wel! Kaatje kwam haar redden, zoals ze dat altijd deed. En die zware voetstappen waren natuurlijk van Ouwe Bram, haar trouwe raadsheer!
'Kaatje!' riep ze.
De deur werd ontgrendeld en tot haar teleurstelling zag Theetje dat de grote gestalte een van de wachters bleek te zijn. Maar de andere was tenger en droeg een grote mantel met een kap.
'Kaatje? Ben jij dat? Hebben ze jou ook te pakken?'
De kleine gedaante grinnikte. 'Helaas, hoogheid,' lispelde hij, 'ik ben Catharina niet. Maar nu weet ik in elk geval wie ú bent!'
Theetje wilde ertegen ingaan, maar ze besefte dat het geen zin had. 'En wie bent u?' vroeg ze toen. 'En waarom komt u hier?'
'Mijn ware naam is geheim, maar u mag me zeven-nul-nul noemen. Ik kom om een praatje met u te maken.' Hij knikte naar de wachter, die de gang op stapte en de deur weer achter zich op slot deed.
'Een praatje?' Theetje snoof. 'Als u mij wilt overhalen met de kroonprins te trouwen, kunt u dat vergeten. Mijn antwoord blijft nee. Ik trouw nog liever met een kikker!'
Zeven-nul-nul grinnikte opnieuw. 'Van een kikker moet u nog maar afwachten of het een prins zal zijn. Van prins Ferdinand weet u het zeker. U zult koningin worden van Groot-Ghamarije! En steenrijk bovendien.'

Theetje balde haar vuisten. 'Ik wil alleen maar koningin zijn van Ploenk. En al dat geld hoef ik niet.'

'Jammer,' zei de geheim agent. 'Dan zit er niets anders op.'

'Wat bedoelt u?' vroeg Theetje.

'Tot mijn spijt moet ik uw vader, uw zuster en uw vrienden in de kerkers van Ghamarije laten opsluiten. Voor de rest van hun leven,' voegde hij eraan toe. 'Anders vormen zij een bedreiging voor mijn heer.'

'Wát?!'

'Terwijl u in het paleis van de kroonprins zat, hebben we Joram de Jolige, uw raadsheer en prinses Catharina in de kraag gevat. De koning hebben we uit zijn eigen kerker geplukt en naar Ghamarije overgebracht.'

'Ik geloof u niet,' zei Theetje. 'Dat verzint u maar, omdat u hoopt dat ik dan met prins Ferdinand zal trouwen.'

'Misschien dat dit u overtuigt?' Van achter zijn rug haalde zeven-nul-nul iets tevoorschijn. Een slappe hoed met een pluim.

'De hoed van Joram!'

Theetje sloeg een hand voor haar mond. Joram zou zijn hoed nooit zomaar ergens laten liggen. Altijd nam hij hem mee, zodat hij er beleefd mee kon groeten. En als Joram was opgepakt, was de kans groot dat Ouwe Bram ook de pineut was. En op de vergadering van TOP had ze gehoord dat vader in de kerker zat. Kaatje was misschien nog op vrije voeten, maar als de rest achter slot en grendel zat... Ze staarde naar de hoed.

'Wat gebeurt er met ze als ik mijn jawoord geef?' vroeg ze met een trillerige stem. 'Laat u ze dan vrij?'

'Mits ze zich nooit meer zullen vertonen binnen Groot-Ghamarije.'

Theetjes hart kromp ineen. 'Maar dan zal ik ze nooit meer zien!'

'O, u zult hen buiten het koninkrijk af en toe mogen ontmoeten,' zei zeven-nul-nul troostend. 'Onder begeleiding, natuurlijk.'

'En wat gebeurt er met mij?' wilde Theetje weten. 'Als ik weiger te trouwen? Gooit u mij dan bij de anderen in de kerker?' Ze vroeg zich af wat erger was – trouwen of de rest van haar leven in een kerker doorbrengen. Als ze dan maar samen was met Kaatje en haar vader en...

De geheim agent schudde het hoofd. 'Dan wordt iedereen opgesloten in een aparte cel. U zult elkaar nooit meer zien of spreken.'

'Nooit meer?' fluisterde Theetje.

'Nooit meer. Dus wat wordt het, hoogheid?' Zeven-nul-nul klonk opeens ongeduldig. 'Geeft u prins Ferdinand uw jawoord? Of slijt u liever de rest van uw leven in het slot van Ghamarije, helemaal alleen, in de allerdiepste, duistere kerker? Met alleen hongerige ratten als gezelschap?'

Theetje veegde een traantje weg. 'Zeg maar tegen Ferdinand dat ik met hem zal trouwen.'

'Uitstekend,' zei de geheim agent tevreden. 'Het huwelijk zal morgenochtend plaatsvinden om half elf. Zo dadelijk halen de kleedsters u op voor het passen van de bruidsjurk.'

'Maar ik zal nooit van hem houden!' riep Theetje strijdlustig.

'Dat is ook nergens voor nodig,' zei zeven-nul-nul koeltjes. 'Als zijne hoogheid de schat maar krijgt.' Hij klopte op de deur die, nadat alle sloten waren ontgrendeld, openzwaaide. 'Bovendien,' voegde hij eraan toe, 'houdt de kroonprins maar van één persoon.'

'O,' zei Theetje, 'en wie is dat dan?'

'Hijzelf.'

XIV

Spion gezocht

Het schemerde toen een kleine gestalte de berg op sloop naar het paleis van Lamaarwaaie. In het zicht van de poort gekomen, bleef hij even staan. Hij keek een tijdje naar de twee wachters die stokstijf stilstonden, eentje links en eentje rechts van de poort. Ieder met een donderbus in de handen. Toen zette hij zijn handen aan zijn mond en deed een jankende kat na.

'Rotbeesten!' siste de ene wacht tegen de andere.

De andere wacht keek om zich heen. 'Waar zit dat kreng ergens?'

'Nou ja, misschien gaat 't vanzelf over,' zei de ene weer.

Opnieuw klonk er een klaaglijk geloei. Ditmaal harder.

De eerste wacht vloekte hartgrondig. 'Jammer dat we niks hebben om naar z'n kop te gooien.'

De tweede richtte zijn geweer. 'Ik schiet hem gewoon voor z'n donder.'

'Ben je gek geworden!' Zijn maat duwde het wapen weg. 'Dan schrikt het hele hof zich te pletter en wij zijn de pineut. Nee, ik ga wel achter dat beest aan.' Hij verliet zijn post en liep in de richting van het geluid.

'Kom terug! We mogen niet weg bij de deur!'

'Ach, wat, d'r is toch niemand.' Hij sloop nog iets verder weg. 'Ik draai dat dier z'n nek om en dan ben ik weer terug. Zo gepiept. Je kunt de boel best effe alleen in de smiezen houden.'

'Nou, als jij het zegt...' zei de ander.

De kleine gestalte liep nog een eindje verder achter het paleis langs en mauwde toen opnieuw hartverscheurend.

'Hier!' bromde de wacht. 'Kom hier!' Toen sloeg hij een andere toon aan in de hoop dat de kat zou luisteren. 'Poessie, ik heb melk voor je. Kom maar bij...'

Een flinke klap en de wacht zakte in elkaar.

Even later volgde de tweede. 'Hee, waar ben je? Kom op, man! Straks worden we afgelost en dan zien ze dat we…'

Weer een mep.

De gestalte sleepte de tweede wacht naar de eerste, bond hen vast met touw en stopte een prop in hun mond. Toen liep hij haastig naar de poort, maakte hem voorzichtig open, en glipte naar binnen.

Prins Frederik graaide net een handvol bonbons van een zilveren schaal toen er op de deur van de eetkamer werd geroffeld. Het volgende moment tuimelde de lakei naar binnen. Zijn pruik zat ditmaal achterstevoren.

'Ho- ho- hoogheid!' hakkelde hij.

De kroonprins wierp hem een boze blik toe. 'Ik had nog geen "binnen" gezegd.'

'Weet ik, hoogheid!' De bediende boog nederig. 'Maar ik heb een dringend bericht, dat geen uitstel kan dulden!'

Prins Frederik veerde overeind. 'Is Theodora gevonden?'

De lakei schudde van nee.

'Catharina dan?'

Weer nee.

'Nieuwe indringers ontdekt?'

'Nee, hoogheid. Er is niemand gevonden of ontdekt. Integendeel. Er is iemand – meerdere iemanden zelfs – verdwenen!'

'*Wie* zijn er verdwenen?' vroeg de kroonprins.

'De koning, hoogheid! En de rest.'

De prins kneep de bonbons van schrik tot chocopasta. 'De koning? Dat kan niet! Is er dan toch iemand de kerker binnengegaan? Ondanks mijn uitdrukkelijke verbod?'

Opnieuw een heftig hoofdschudden. 'Niemand, hoogheid. Afgezien dan van die struikrover en zijn maat, de raadsheer van koningin Theodora. Maar toen zat de koning er nog. Nu zijn ze allemaal weg. Ook die adjudant.'

'Vier mensen? En niemand heeft ze zien weggaan?'

Het lakeienhoofd schudde zich nu een ongeluk. 'Geen mens. Ze waren zomaar weg. Foetsie. Spoorloos.'

'Stop met dat geschud, anders gaat je kop eraf!' Prins Frederik veegde zijn vieze hand af aan het tafelkleed en zoog de rest van de chocola van zijn vingers. 'Ik *smak* snap *smak* er geen *smak smak* snars van.'

'Ik ook niet, hoogheid.' De lakei haalde een verzegelde envelop tevoorschijn. 'Er is trouwens een brief voor u. Hij werd afgegeven door een soort van monnik. De man zei dat er iets in stond over Ferdinand, iets wat u beslist moest weten. Voordat ik hem kon vragen wie hij was, was hij alweer weg.'

'Geef hier!' De kroonprins griste de envelop uit zijn handen, ritste hem open en begon te lezen. 'Iets over Ferdinand? Wat zou ik in 's hemelsnaam over Ferdinand moeten we...' Hij zweeg abrupt. Zijn mond bleef openhangen, alsof hij wachtte op een verlate geeuw.

'Hoogheid?' De lakei keek hem bezorgd aan. 'Is de chocola u in het verkeerde keelgat geschoten? Moet ik de lijfarts roepen?'

De prins stak hem het vel papier toe. 'Lees!' sprak hij met verstikte stem.

In een groot maar nauwkeurig handschrift stond er:

Geachte Hoogheid,
Als trouw onderdaan van Uwe majesteit, acht ondergetekende het zijn plicht U op
de hoogte te brengen van het navolgende. Mij is ter ore gekomen dat kroonprins
Ferdinand van Ghamarije morgenochtend in het huwelijk zal treden met koningin
Theodora van Ploenk.
Met nederige hoogachting,
Iemand die het goed met U meent

De lakei liet het papier uit zijn handen vallen. 'Maar... maar dat kan toch niet? Koningin Theodora zou nooit uit zichzelf met prins Ferdinand trouwen!'
'Hij heeft haar natuurlijk onder druk gezet,' zei de kroonprins. 'Maar ik begrijp niet waarom hij nog met haar wil trouwen. Ze is haar land kwijt en hij heeft er de helft van. Wat levert dat huwelijk hem op? Of heeft hij weet van mijn schat? En trouwt hij met haar, enkel en alleen om mij te dwarsbomen? Zodat ik de schat op mijn buik kan schrijven?'
'Maar dat is onmogelijk, hoogheid! Hoe zou hij nu van de schat kunnen we...'
'Niets is onmogelijk. Misschien heeft hij hier wel een spion rondlopen.'
'Het kan ook wat anders zijn.' De lakei kleurde een beetje. 'Misschien is er... *liefde* in het spel?'
'Liefde?' sprak prins Frederik vol walging. 'Ha! Ferdinand houdt alleen van zichzelf.' De kroonprins trommelde met zijn vingers op de tafel. Toen keek hij naar de lakei. 'Die achterbakse rat voert iets in zijn schild en ik wil weten wat dat is. Er moeten spionnen naar Ghamarije. Nu meteen!'
'Excuus, hoogheid, maar we hebben geen spionnen.'
'Geen spionnen?' De prinselijke onderkinnen trilden onheilspellend. 'Hoezo niet? Zorg als de bliksem dat ze er komen!'
'Hoe dan, hoogheid?'

'Weet ik veel, zet een advertentie in de krant. Plak biljetten op de muren. Stuur een stadsomroeper op pad. Ik hoef toch niet alles zelf te bedenken? Ik heb het hier al druk genoeg!' Hij gebaarde naar de tafel, die ditmaal vol stond met bonbons, taarten, cakes, koekjes, snoepjes, limonades en likeuren.

De lakei maakte een buiging en wilde het vertrek verlaten.

'Blijf staan!!' brieste de kroonprins.

Het volgende moment regende het bonbons, maar de lakei dook net bijtijds weg.

'Nou doe je het wéér! Ik zei toch dat je moest blijven staan!'

De bediende maakte nu zo'n diepe buiging dat zijn hoofd bijna zijn schoenen raakte. 'Het spijt me, hoogheid, het gaat vanzelf.'

Prins Frederik keek hem donker aan. 'Als je dit nog één keer doet, zwaait er wat. Iets scherps. En dan kún je het niet ontwijken, omdat je nek op het hakblok ligt!'

'Jawel, hoogheid! Ik zal nu meteen een spion regelen!' De lakei verliet haastig de eetzaal en botste tegen een kleine gestalte aan, die vlak achter de deur stond. Alsof hij daar had staan luisteren.

Hij droeg een donkerbruine mantel met een bontkraag en daaronder een zwarte slobberbroek, die in afgetrapte laarzen was gepropt. Een bontmuts hing tot over zijn oren en een uitwaaierende rode baard en een hangsnor bedekten de onderkant van zijn gezicht.

De lakei zette zijn pruik recht en trok een wenkbrauw op. 'Wie bent u en wat doet u hier? Ik heb u nog nooit gezien in het paleis.'

De ander wenkte hem naderbij, keek om zich heen, en fluisterde met lage stem: 'Klopt. Ik ben namelijk een spion.'

'Een spion?' De bediende zette grote ogen op. 'Maar dat is reuze toevallig! Daar zijn we net naar op zoek!'

'Geen toeval,' zei de spion hoofdschuddend, 'want dat wist ik al.'

'Hoe dan?'

'Omdat ik een spion ben.'

'O ja.' Toen kneep de lakei zijn ogen halfdicht. 'Wacht eens even... voor wie spioneert u eigenlijk? En hoe bent u langs de wachten gekomen? Het paleis van zijne hoogheid wordt zwaar bewaakt.'

'Ik wilde prins Frederik mijn diensten aanbieden en de rest is beroepsgeheim. Al helpt het als je dieren kunt nadoen.' Hij legde een vinger tegen zijn snor. 'Een goochelaar verklapt toch ook niet hoe zijn trucs werken?'

De lakei knikte. Daar zat wat in. 'Goed. Dan wil ik dat u nu meteen vertrekt naar Ghamarije om achter de plannen van prins Ferdinand te komen. U ontvangt natuurlijk een geldelijke beloning voor uw informatie.'

De spion knikte naar de deur. 'Eerst wil ik een woordje met je baas.'

'Zoals u wenst.' De lakei klopte op de deur en deed hem open.

'Wat nou weer!'

'Hier is de verlangde spion, hoogheid. Hij wenst een onderhoud met u.'

De kroonprins keek verbaasd op. 'Waar heb je die zo gauw vandaan?'

'Ik ben een spion, hoogheid,' zei de spion. 'Daarom wist ik al dat u mij nodig had voordat u het zelf wist.' Hij gebaarde naar een stoel. 'Mag ik?'

'Ga zitten,' zei de kroonprins. 'Als je maar van het eten afblijft. En ga jij maar even afstoffen,' zei hij tegen de lakei. 'Dit gesprek is geheim.'

'Zoals u wenst, hoogheid.' Met een gekwetste blik sloot de bediende de deur achter zich.

Het mannetje met de bontmuts nam tegenover de kroonprins plaats en keek met een begerige blik naar al het lekkers dat erop was uitgestald. 'Mag ik die brief eens zien die u gekregen hebt?'

'Ga je gang,' zei de prins.

De spion las het briefje door en hapte naar adem. 'Gaat Thee... ik bedoel Theodora trouwen met prins Ferdinand?'

'Wist je dat nog niet? Ik dacht je zo'n goede spion was.' Prins Frederik liet een handvol chocoladerozijntjes achter elkaar in zijn mond vallen. Hij slikte alles in één keer door en zei toen: 'Ik wil dat je uitzoekt wat er aan de hand is voordat heel Lamaarwaaie weet dat Ferdinand gaat trouwen.'

'Te laaaat!' klonk een stem op de gang. 'Te laat!' De deur werd opengesmeten en de lakei duikelde naar binnen, zonder pruik, gleed een stuk over de vloer en wist zich aan de tafelrand vast te grijpen. 'Hier!' Hij wierp een verfomfaaid papiertje op de tafel.

'Wat heeft dít te betekenen!' vroeg de kroonprins op hoge toon. Hij pakte het papiertje. Er zat een klodder vogelpoep op, maar de letters waren nog goed te lezen.

MORGENOCHTEND OM 10.30 UUR PRECIES ZAL HARE KONINKLIJKE HOOGHEID THEODORA VAN VOORHEEN PLOENK TEN OVERSTAAN VAN HET VOLK EN DE KONINKLIJKE NOTARIS HAAR JAWOORD GEVEN AAN ZIJNE HOOGHEID KROONPRINS FERDINAND. HIERNA ZAL DE KROONPRINS GEKROOND WORDEN TOT KONING VAN GHAMARIJE. ER ZAL GRATIS WATER EN BROOD ZIJN TER VERHOGING VAN DE FEESTVREUGDE. KOMT ALLEN!*

In veel kleinere letters stond eronder:

* Eenieder die niet komt, zal dit berouwen!

'Het is dus waar.' Verbijsterd staarde prins Frederik naar het vodje. Toen keek hij naar de lakei. 'Dit moet onmiddellijk verbrand worden. Niemand mag dit weten! Zodra het volk hiervan op de hoogte is, sla ik een figuur!'

'Helaas, hoogheid,' begon de lakei, 'er zijn reeds tientallen pamfletten uitgestrooid over Lamaarwaaie...'

'Uitgestrooid?' De prins klemde het papiertje zo stevig vast dat het scheurde. 'Maar hoe dan?'

'Postduiven. Ze kwamen de muur over gevlogen, cirkelden over het hele koninkrijk en lieten de pamfletten overal uit hun poten vallen. Onze wachters hebben nog geprobeerd ze uit de lucht te schieten, maar de dieren waren te snel.'

Prins Frederik zakte in elkaar als een futloze pudding. Het papiertje dwarrelde als een herfstblad omlaag.

De spion griste het van de grond. Zijn ogen gleden koortsachtig over de regels. 'Morgenochtend al! Ik móét iets doen!'

'Het is toch al te laat,' zei de kroonprins. 'Ferdinand heeft gewonnen. Iedereen weet nu dat hij met Theodora gaat trouwen en ik kan de schat wel vergeten. Er is niets meer aan te doen. Als ik nou Catharina had...'

De spion kreeg een hoestaanval. Toen hij uitgehoest was, keek hij van het papiertje naar de prins. 'Wat heeft Theetje eh... Theodora te maken met een schat?'

Maar de kroonprins gaf geen antwoord. Hij staarde naar de spion. 'Je baard...'

'M'n baard?' zei de spion verschrikt. 'Wat is er met mijn baard?'

'Hij hangt half los, met uw welnemen,' zei de lakei.

XV

Slijk

'Trouwen?!!!' klonk het vanuit het dreigende duister onder de kap.
'Met prins Ferdinand,' herhaalde Zwarte Loper. 'Er zijn pamfletjes
gestrooid. Vanuit de lucht. Door postduiven.'
Er brandde een kleine lantaarn op het tafeltje, die een zacht licht
verspreidde.
'Dus iedereen in Ploenk en Lamaarwaaie weet het?' De Zwarte
Dame begon hard te lachen. 'Dit is veel beter dan mijn list met de
brieven aan Ferdinand en Frederik. Stukken beter! Ik had een
vooruitziende blik, Zwarte Loper. Dit is een geschenk uit de
hemel!'
'Wel uit de hemel, maar ik betwijfel of het een geschenk is.' Zwarte
Loper had alles verwacht, maar niet dit. In plaats dat de Zwarte
Dame alles kort en klein sloeg, hem uitfoeterde, of heel Ploenk bij
elkaar gilde, leek het nieuws bij haar in goede aarde te vallen.
'Snáp je het dan niet?' zei ze. 'Theodora die trouwt met Ferdinand!'
'Ik denk niet dat hare hoogheid dat van harte doet, met alle respect.'
'Ha! Natuurlijk niet. De kroonprins heeft dat slappe schepsel vast
onder druk gezet, maar dat weet het volk niet. Die zullen denken
dat ze Ploenk niet alleen in de steek heeft gelaten, maar nog verraden heeft ook, dat hun koninginnetje gekozen heeft voor macht en
rijkdom!'
'Waarom zouden ze dat nou denken? Bovendien is Ghamarije helemaal niet rijk, met uw welnemen.'
'*Simple comme bonjour.* Omdat wij het idee in hun hoofd zullen
planten,' zei de Zwarte Dame. 'Trommel iedereen op. Laat bekend-
maken dat er over een uur een grote vergadering is van TOP.'
'Jazeker, Zwarte Dame.'

'Ons moment van glorie komt nader. Nog even en wij zullen ons niet langer hoeven te verschuilen. Zodra wij triomferen, zullen wij deze vermomming van ons afwerpen en het volk onze ware gedaante tonen!'

'Ik kan haast niet wachten, Zwarte Dame. Dan zal ik u weer bij uw ware naam kunnen noemen. En u mij bij de mijne,' voegde hij er op trotse toon aan toe. 'Minister-president Lo...'

'Wij vinden Zwarte Loper anders wel bij je passen. O ja, vergeet niet tegen iedereen te zeggen dat ze hun hooivorken, rieken, schoffels, spades, deegrollers en... vliegenmeppers vast mee moeten nemen.'

'Eh Zwarte Dame? Is het wel verstandig om nu al de strijd aan te gaan? Al doet heel Ploenk mee, we kunnen nooit op tegen het leger van prins Ferdinand én dat van prins Frederik.'

'Wij gaan ook niet tegen beide prinsen tegelijk strijden. Nu prins Ferdinand met Theodora gaat trouwen – geen idee waarom hij dat nu nog wil, maar goed – zal Frederiks achterdocht jegens hem alleen maar toenemen. Hiervan moeten wij gebruikmaken.'

'Wat bent u dan van plan?'

De Zwarte Dame trok haar kap naar achteren. Het lamplicht bescheen haar vorstelijk gelaat. 'Wij gaan naar hem toe, in eigen persoon, en stellen een bondgenootschap voor.'

De grot van TOP was vol. Er klonk een druk geroezemoes en de aanwezigen wierpen regelmatig een blik op het nog lege podium.

De koning en Ouwe Bram waren aan de zijkant gaan staan, vlak bij de uitgang. Na lang zoeken in de verkleedkist, hadden ze uiteindelijk allebei gekozen voor een monnikspij, gemaakt van stinkende jute. Voor alle andere kleren waren ze te groot en te dik. Zo stonden ze nu, met een grof touw om hun middel en een kap over hun hoofd, te wachten op wat er komen ging.

'Wat doen al die mensen hier?' vroeg de koning verwonderd.

'Dit is het verzet, majesteit,' fluisterde Ouwe Bram.

'O ja... En waar wachten ze nu op?'

'Op de Zwarte Dame, denk ik.'

Ze hoefden niet lang te wachten. De Zwarte Dame betrad met vastberaden pas het podium en nam plaats achter het spreekgestoelte. Zwijgend keek ze om zich heen tot het doodstil was in de zaal. Haar gezicht was in schaduwen gehuld, maar iedereen voelde haar kille blik over zich heen gaan.

Zelfs Ouwe Bram huiverde even.

'Burgers van Ploenk,' sprak ze toen, 'het treurige nieuws zal u ongetwijfeld hebben bereikt. Anders was u niet met zovelen gekomen… Het verschrikkelijke nieuws van het grote verraad!' Ze hief dramatisch haar handen omhoog. 'Morgenochtend trouwt koningin Theodora met de aartsvijand van Ploenk, kroonprins Ferdinand van Ghamarije!'

Een luid boegeroep klonk uit alle kelen.

De koning schudde verbijsterd zijn hoofd. 'Trouwen? Gaat Theodora trouwen? Daar weet ik niets van!'

Een gedaante naast hem bromde: 'Heb je het pamflet dan niet gelezen?'

'Welk pamflet?' vroeg Ouwe Bram.

'Het pamflet dat de postduiven hebben uitgestrooid over Ploenk.' De ander haalde van onder zijn gewaad een stuk papier tevoorschijn. 'Hier, lees maar. Wie had dat gedacht, dat onze koningin ons zou verraden! Jullie stinken trouwens een uur in de wind.'

Ouwe Bram gromde wat ten antwoord. Hij las het pamflet haastig door en gaf het toen aan de koning. 'Het is een huwelijksaankondiging,' fluisterde hij. 'Morgenochtend om half elf. Ze hebben haar onder druk gezet, dit zou ze nooit vrijwillig hebben gedaan.'

De koning knikte. 'Ik vroeg me al af waarom ik niet was uitgenodigd.'

De Zwarte Dame schudde strijdlustig met een vuist naar haar toehoorders. 'Uw vorstin toont eindelijk haar ware aard, burgers van Ploenk. Ze verkiest macht en rijkdom boven het welzijn van haar onderdanen! Ze heeft u allen met huid en haar uitgeleverd aan de wrede heerser van Ghamarije, in ruil voor het slijk der aarde…'

'Slijk?' riep iemand. 'Waarom zou je nou slijk willen hebben?'
'Oftewel geld!' brulde de Zwarte Dame.

'O, géld!' Prompt brak er nu zo'n uitzinnig gejoel, gesis en gefluit los dat ze opnieuw moest wachten voordat ze verder kon gaan.

'Leugens!' siste Ouwe Bram in het oor van de koning. 'Slijk der aarde. Ha! Ze haalt Theetjes náám door het slijk! Alsof ze met zo'n ellendeling zou trouwen om geld. Al gaf hij haar alle schatten van de hele wereld, dan nog zou ze er niet over piekeren! Majesteit, we moeten zo gauw mogelijk Kaatje, Joram en de rest waarschuwen.'

'Maar genoeg is genoeg!' riep de Zwarte Dame. Haar stem sneed als een mes door het rumoer. 'Eindelijk zal Trots Op Ploenk in opstand komen tegen de bezetters. Morgenochtend, als de bruid op het punt staat haar jawoord uit te spreken, zullen wij Ferdinand aanpakken. Wij zullen hem verjagen uit Ploenk! We zullen hem verjagen uit Ghamarije! We zullen hem verjagen uit…'

'Zwarte Dame!' riep de man naast Ouwe Bram en de koning. Dezelfde die hun het pamflet had laten zien. 'Er zijn verraders onder ons!'

Er ging een ontzet gesis door de zaal.

'Verraders?!' De Zwarte Dame strekte haar nek om hem beter te kunnen zien.

'Hier vlak naast me,' zei de man. 'De ene, die dikke, zei dat ze ene Kaatje moesten waarschuwen. Enne Joris of zoiets en nog iemand. En hij, die dikke dus, zei *majesteit* tegen die andere.'

'Neem hen gevangen!' beval de Zwarte Dame met overslaande stem. 'Het zijn spionnen. Vijanden van het volk!'

De man deed een uitval, maar greep in het niets. 'Ze zijn ontsnapt!'
'Hoe zagen ze eruit?' riep iemand.

'Laat maar,' sprak de Zwarte Dame. 'Ik weet al wie het zijn.' Ze keek naar haar assistent. 'Zwarte Loper, jij gaat met de wachters hier' – ze knikte naar de drie stevige gestalten met de hooivorken – 'naar de verraders op zoek. En zorg ervoor dat je hen vindt!!'

XVI

Kaatje is de klos

'Hangt mijn baard half los?' De spion werd rood. 'Ja eh, dat komt…
het is een vermomming. Omdat ik een spion ben, begrijpt u.' Hij
ging staan, terwijl hij de baard probeerde terug te duwen tegen zijn
wang. 'Ik stap weer eens op. Werk aan de winkel. U hoort nog van
mij.'
Prins Frederik stond ook op. 'Wacht eens even!' Hij reikte naar de
bontmuts van de spion en rukte hem af. Lange rode lokken sprongen tevoorschijn. 'Maar jij bént helemaal geen spion, jij bent…'
De spion die geen spion was, duwde de lakei uit de weg en schoot
de deur uit.
'Grijp hem!' bulderde de kroonprins. 'Grijp háár, bedoel ik!'
Zodra ze op de gang was, trok Kaatje de baard en de hangsnor van
haar gezicht en rende zo hard als ze kon. Toen ze prins Frederik
'Catharina' had horen zeggen, was ze zo geschrokken dat ze was
gaan hoesten. En daardoor was de baard natuurlijk los gaan zitten.
'Stom van me,' mompelde ze tegen zichzelf. 'Ik had meer lijm moeten gebruiken.'
Kaatje keek om zich heen. Waar moest ze nou naartoe? Achter haar
klonk het geklos van laarzen. Op goed geluk probeerde ze een deur.
Hij was niet op slot. Ze glipte naar binnen, deed de deur achter zich
dicht en leunde er met haar rug tegen aan.
Opgelucht haalde ze adem toen het geklos zonder te stoppen langs
de deur ging en in de verte verdween. Ze wachtte nog even en deed
de deur voorzichtig op een kiertje. Voor zover ze het bij het licht
van de eenzame fakkel kon zien, was de gang leeg. Ze sloop naar
buiten en liep op haar tenen een stenen wenteltrap af. Hopelijk kon
ze ongezien beneden komen. En dan moest ze nog de uitgang zien
terug te vinden.

Zodra ik weer buiten ben, dacht ze, moet ik naar Ghamarije. Theetje moet gered worden!

Ze vroeg zich af waar de anderen nu zouden zijn. Was het de adjudant en Joram gelukt om bij Ferdinand te komen? Ze hoopte van wel. En haar vader en Ouwe Bram, wat zouden ze intussen allemaal ontdekt hebben bij TOP? Als ze maar niet betrapt waren door de Zwarte Dame…

Kaatje was zo in gedachten verzonken dat ze de voetstappen pas hoorde toen ze vlakbij waren.

'Hebbes!'

Twee armen grepen haar van achteren beet en sleurden haar mee. 'Laat me los!!' Kaatje sloeg wild om zich heen, krabde met haar nagels en beet in de armen die zo sterk waren als kabeltouwen.

'Auw!' brulde een zware stem. 'Ik heb d'r!'

De armen omklemden haar nog steviger. Van alle kanten kwamen er nu soldaten aan rennen.

'Kijk uit, jongens!' zei de man die haar vasthield. 'Die meid is hondsdol!'

'Laat me gaan!' schreeuwde Kaatje. 'Hier krijgen jullie spijt van!'

De mannen lachten alleen nog maar harder.

Tegenstribbelend werd ze over trappen en door gangen gesleept, tot de mannen voor een grote deur bleven staan.

Een van hen klopte beleefd aan.

'Binnen!!'

Prins Frederik grijnsde van oor tot oor toen hij zag wie er binnen werd gebracht. 'Goed werk, kerels!' Hij stond op en liep om Kaatje heen. 'Zo, Theodora, nu zul je met me trouwen. Of je wilt of niet.'

Kaatje spuugde hem recht in zijn gezicht. 'Ik ben Theetje niet!' riep ze. 'En ik zal nooit trouwen, zeker niet met jou! Vieze vetzak!'

De prins veegde de klodder van zijn gezicht. 'Bedankt voor het compliment. Het lijkt er inderdaad op dat jij Catharina bent. Maar wat dan nog? Laat die rat aan de overkant maar bewijzen dat hij de echte Theodora in handen heeft. Als de notaris mij maar gelooft en de plattegrond ophoest.'

'Plattegrond? Notaris? Waar gaat dit allemaal over? Heeft het soms iets te maken met die schat waarover je het had?'

'Dat gaat jou niks aan, kleine feeks!' De kroonprins gebaarde met zijn hand. 'Breng haar naar de kleedsters, die mogen haar gereedmaken.'

'Gereedmaken?' herhaalde Kaatje fronsend.

'Je denkt toch niet dat ik zo met jou ga trouwen?' De prins knikte naar haar kleren. 'In die rare vodden?'

Razend en tierend, krabbend en bijtend werd Kaatje afgevoerd.

Even later wipte de lakei naar binnen. Zijn pruik zat nu keurig recht.

'Je weet wat je te doen staat?' vroeg prins Frederik, terwijl hij een halve chocoladecake naar binnen propte.

De lakei knikte. 'Stadsomroepers zijn al op pad gestuurd om het volk in te lichten, postduiven zullen pamfletten uitstrooien aan de andere kant van de muur en de naaisters zijn begonnen met de trouwjapon.'

Prins Frederik veegde wat kruimels van zijn gezicht. 'Is Dorreboom al op de hoogte gebracht?'

'Er is een koets onderweg om de notaris op te halen, hoogheid.'

'Mooi. Alles moet morgenochtend om tien uur precies gereed zijn. Het is van het allergrootste belang dat ik met Theodora trouw voordat Ferdinand met haar trouwt. Als je begrijpt wat ik bedoel.'

De lakei maakte aanstalten om te vertrekken.

'Blijf daar staan,' commandeerde de kroonprins. 'Ik ben nog niet helemaal klaar met jou. Niet bewegen.'

Het volgende moment zeilde een slagroomtaart door het luchtruim. Net voordat het gebak de lakei zou raken, ging de deur open. Een man met een koksmuts stak zijn hoofd om de hoek. 'Valt mijn taart in de smaak, hoogh...'

Terwijl de taart hem vol in het gezicht raakte en klodders slagroom om zijn oren vlogen, was de lakei al verdwenen.

XVII

Soepjurken en slagroomtaarten

Theetje was diep ongelukkig. En haar bruidsjurk stonk naar mottenballen. Ze bekeek zichzelf in de verweerde, staande spiegel en zag een treurig meisje dat bijna verdronk in een waterval van kant en zijde. De jurk was ooit wit geweest, maar nu was hij grauw, en hier en daar waren er gaten gevallen in de stof. Alsof een kat erin had geklauwd.

Ze stond in een kamer onder in de burcht. Om haar heen drentelden vrouwen met spelden in hun mond, meetlinten om hun hals, en in hun handen lapjes stof, scharen, en naald en draad. Ze deden hun best de sleetse jurk nog een beetje op te kalefateren.

'Hij staat u beeldig, hoogheid,' zei een van hen.

Theetje glimlachte flauwtjes.

'U zult zien dat het best meevalt,' zei een ander, terwijl ze voorzichtig een scheurtje dichtstopte.

'Wat bedoel je?' vroeg Theetje.

'Nou eh, het huwelijk en zo.'

'Hij staat helemaal niet beeldig,' zei een vrouw met vonkende ogen. 'Het is een stomme soepjurk! En het zal helemaal niet meevallen, dat weten jullie verdraaide goed!'

'Bets!' zei een derde geschrokken. 'Misschien staat zeven-nul-nul achter de deur mee te luisteren! Hij gooit je nog in de kerker!'

Bets beende naar de deur van het kamertje en deed hem met een ruk open.

'Wat mot dat!' riep een bewaker die op de gang stond. 'Naar binnen jullie!' Hij maakte prikkende bewegingen met zijn lans.

'Geen zeven-nul-nul dus,' zei Bets, nadat ze de deur weer dicht had gedaan. 'Alleen maar een domme wachter.'

'Kijk toch maar uit,' zei de vrouw die Sjaan heette. 'Let maar niet op d'r, hoogheid,' ging ze verder tegen Theetje. 'Haar grote mond wordt nog een keer d'r ondergang.'

'Weet je wát onze ondergang wordt?' zei Bets strijdbaar. 'Dat we onze mond altijd maar dichthouden. Zo verandert er nooit wat in dit land!' Ze zweeg even en keek toen naar Theetje. 'Neem me niet kwalijk, hoogheid, maar zo is het nu eenmaal. We worden door de kroonprins uitgewrongen als een ouwe sok en we krijgen er niks voor terug. Hetzelfde gebeurt nu met het deel van Ploenk dat bij Ghamarije is gekomen.'

'Ik weet het en ik vind het heel erg,' zei Theetje. 'Maar als ik niet met prins Ferdinand trouw, zie ik m'n vrienden en m'n familie nooit meer terug!' Ze pinkte een traantje weg. 'Dan moeten zij en ik voor altijd in een kerker zitten. In *verschillende* kerkers!'

'Alstublieft, hoogheid.' Een van de vrouwen gaf haar een zakdoekje.

'Dank je.' Theetje droogde haar tranen en snoot haar neus. 'Hebben jullie wel eens van TOP gehoord?' vroeg ze toen.

De vrouwen keken haar vragend aan.

'Niet dus,' begreep Theetje. Toen legde ze uit wat TOP was en ze vertelde van de plannen van de Zwarte Dame om Ploenk samen te voegen met beide buurlanden tot Groot-Ploenk.

'Zo te horen is die Zwarte Dame geen haar beter dan onze kroonprins,' zei Bets, 'dus daar schieten we geen moer mee op.'

'Die leiders zijn allemaal hetzelfde,' zei een van de anderen.

Sjaan knikte naar Theetje. 'De hoogheid niet, hoor Trees. Ik heb veel goeie dingen over haar gehoord toen ze nog koningin was van Ploenk.'

'Nou,' zei Bets tegen Theetje, 'u misschien niet. Maar ik ben bang dat u niet veel meer te vertellen hebt als u straks met prins Ferdinand bent getrouwd.'

'Noem me alsjeblieft Theetje,' zei Theetje. 'Ik ben helemaal geen hoogheid. En ik wou dat ik nooit was weggegaan uit Ploenk, maar ik moest wel. Mijn zusje moest gered worden uit handen van slavenhandelaars, piraten enne… o ja, ook nog een sultan.'

De vrouwen keken haar met ontzag aan. 'Slavenhandelaars en piraten?' zei Trees. 'En een sultan?'

Theetje begreep dat ze er niet onderuit kon. Ze haalde diep adem en begon te vertellen van haar avonturen in Oesbadoer, op zee bij de piraten, en in de harem van de sultan van Badoenistan.[1]

Toen ze na een tijdje klaar was, keken de vrouwen haar vol bewondering aan.

'Dat had ik niet achter u gezocht, hoogheid,' zei Sjaan.

'Ik ook niet,' gaf Bets toe.

Theetje kreeg een kleur. 'Ach, zo dapper ben ik nou ook weer niet.'

Na een tijdje zei Sjaan: 'Kom, meiden, we staan hier maar te kletsen en de jurk moet af. Morgenochtend is het al zover.'

De vrouwen pakten hun spelden en naalden weer op, maar Bets bleef staan waar ze stond. Ze zette haar handen in haar zij en keek Theetje zo indringend aan, dat ze haar ogen moest afwenden.

'Bets, toe nou!' maande Sjaan. 'Straks…'

Maar Bets schudde het hoofd. 'Nee, het is nu of nooit. Als hare hoogheid…'

'Theetje,' zei Theetje.

'Als hare hoogheid Theetje eenmaal met de kroonprins getrouwd is, dan is het te laat. Dan heeft-ie haar in z'n macht.'

'En krijgt hij de schat,' flapte Theetje eruit.

'De schat?' zeiden de vrouwen.

Theetje vertelde in het kort over het testament dat de voorouders van de kroonprins hadden gemaakt.

Bets' mond viel open. 'Dus in ruil voor het huwelijk krijgt hij een schatkaart?!'

'Ja,' zei Theetje. 'En dan kan hij een groot leger op de been brengen en wapens kopen en zo. En dan gaat-ie de rest van Ploenk veroveren en misschien Lamaarwaaie er nog bij ook.'

'Dan moet u niet met hem trouwen,' besloot Bets.

Theetje keek moeilijk. 'Ik moet wél met hem trouwen, want hij houdt vrienden van mij gevangen in de kerker. En als ik niet…'

1 Dit kun je lezen in *De pirate van Ploenk*

Op de gang klonk een gesmoorde kreun en toen een plof, alsof iemand een zak aardappels had laten vallen.

'Zeven-nul-nul!' siste Trees. 'Ik zei het je toch!'

De deur zwaaide open en daar stonden twee witte gedaantes.

'Dag Theetje!' zei de langste van de twee. Hij zwaaide vrolijk met een deegroller en knikte naar de bewaker die bewusteloos tegen de muur hing. 'Handig gereedschap, vind je niet?'

'Joram!' riep Theetje toen ze hem herkende. 'Ik dacht dat je in de kerker zat!'

'Die kerker? O, da's alweer eventjes geleden.' Hij klopte wat meel uit zijn kleren. 'En dit is mijn vermomming als koksmaatje.' Hij zag de andere vrouwen en maakte een buiginkje. 'Goedenavond! Joram de Jolige is de naam, redder van bruiden in nood, herverdeler van geld en goederen. Sommigen noemen mij een rover, maar dat vind ik wat te grof klinken.'

'En je hebt de adjudant bij je!' Theetje rende naar hem toe. 'Hoe gaat het met mijn vader?'

'Uitstekend, hoogheid,' zei het mannetje. 'Uw raadsheer is bij hem en...'

'Joram de Jolige?' riep Bets uit, 'die met z'n roversbende de ouwe koningin heeft verjaagd uit Ploenk?'

'Dezelfde,' zei Joram. 'Ik zou graag mijn hoed voor u afnemen, edele dame, maar helaas ben ik die kwijtger...'

'Nou, Kaatje en ik hebben ook een handje geholpen hoor!' riep Theetje.

'Luister,' zei Bets op dringende toon tegen Theetje. 'Jullie hebben de ouwe koningin verjaagd, kunnen jullie ons helpen om hier hetzelfde te doen?'

'Wat bedoel je?' vroeg Theetje.

Joram keek haar ernstig aan. 'Ze wil dat we prins Ferdinand verjagen uit Ghamarije, hoogheid.'

'Ik ben geen hoogheid, ik ben Kaatje! Dat heb ik jullie al duizend keer gezegd, maar niemand luistert! En ik wil die stomme jurk niet aan. Ik ga niet trouwen! Nooit niet! En zeker niet met Vreterik. Hij gooit me maar in zijn kerker. Blijf van me af!!' Kaatje maaide wild om zich heen en de vrouwen die rondom haar zwermden, deinsden achteruit.

'Maar hoogheid, als we niet op tijd klaar zijn met uw jurk, dan gooit de prins óns in de kerker!' zei een van de vrouwen, een jong meisje nog.

Kaatje dacht even na. 'Vooruit, maak dat ding dan maar af. Ik wil niet dat jullie door mij in de kerker komen. Maar ik ga niet trouwen!'

De vrouwen bogen dankbaar. 'Dank u, hoogheid!'

Kaatje deed haar best zich in te houden, terwijl ze opnieuw om haar heen uit zwermden, linten om haar uitwaaierende jurk drapeerden en hem versierden met talloze kwikjes en strikjes.

'Ik voel me net een kerstboom,' zei Kaatje.

Op de gang klonk gestommel. De deur zwaaide wijd open en prins Frederik kwam handenwrijvend binnen. Toen hij Kaatje zag, kwam er een brede grijns op zijn gelaat. 'Je oogt als een verrukkelijke slagroomtaart, mijn liefste! Ik ga er nog van watertanden. Over taart gesproken... Breng hem maar binnen!' Hij gebaarde naar de gang. 'Theodora, je gelooft je ogen niet!'

'Ik ben Theodora niet!' riep Kaatje. Ze wilde nog meer zeggen, maar zweeg toen de kok naar binnen kwam met achter zich aan een tafel op piepende wieltjes. Inderdaad geloofde ze haar ogen niet, want erbovenop stond de grootste slagroomtaart die ze ooit had gezien. Hij was zo groot en breed dat hij nauwelijks door de deur kon.

'Voorzichtig!' zei de chef-kok tegen de koksmaatjes die de taart begeleidden.

De taart bestond uit zes verdiepingen en elke volgende laag was iets smaller dan die daaronder. Hij was prachtig versierd met marsepeinen figuurtjes, toefjes slagroom, geconfijte kersen en nog veel meer heerlijks. Helemaal bovenop stonden twee figuurtjes van suikergoed, hand in hand. De ene droeg een bruidsjurk en had lang rood haar waarop een kroontje prijkte, de andere was lang en slank en gehuld in een rode mantel met een bontkraag. Boven op zijn hoofd stond een grote kroon.

Prins Frederik wees ernaar. 'Dat zijn wij.' Hij grijnsde verlekkerd. 'Wij zijn om op te vreten, vind je niet? Ha ha!'

'Hm,' zei Kaatje. 'Ziet er mooi uit, ja. Maar die poppetjes kloppen niet helemaal. Die bruidegom lijkt voor geen meter op jou.'

'Toch wel, m'n duifje,' sprak Frederik glunderend. 'Kijk nog maar eens goed!'

'Misschien moet je iets dichter bij de taart gaan staan,' zei Kaatje. 'Dan kan ik beter vergelijken.'

De kroonprins deed een stapje naar de taart toe. 'Zo?'

'Nog ietsje dichterbij.' Kaatje knikte. 'Ja, zo is het genoeg!' Ze gaf hem een zet en prins Frederik tuimelde, zwaaiend met armen en benen, tegen de taart aan.

'Van onderen!' riep de kok, terwijl hij en de koksmaatjes haastig het vertrek verlieten. De vrouwen stoven alle kanten uit.

Met een klinkende klap gingen bruidstaart en kroonprins tegen de vlakte. Het eetbare bruidspaartje schoot de lucht in.

Toen prins Frederik even later zijn ogen opsloeg, stond iedereen om hem heen.

'Gaat het, hoogheid?' vroeg de chef-kok.

Met een lodderige blik speurde de kroonprins het vertrek af. 'Waarisse?'

'Wie bedoelt u?' vroeg een van de vrouwen.

'Wie zou ik móéten bedoelen!' zei de prins nu een stuk krachtiger. Hij ging rechtop zitten en keek opnieuw. 'Theodora!'

Maar Kaatje was verdwenen. Op de plek waar ze daarnet nog had gestaan, lag het bruidspaartje. In twee helften.

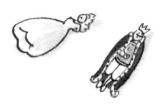

XVIII

Nachtelijk bezoek

Het was al laat in de nacht, maar prins Frederik was nog steeds wakker. In zijn nachtgewaad lag hij op zijn rug in bed. Zijn slaapmuts hing scheef op zijn hoofd. Hij staarde naar de bewegende schaduwen op het plafond, afkomstig van een flakkerende nachtkaars.

'Verloren,' jammerde hij tegen het plafond. 'Alles is verloren.'

De zoektocht naar Catharina had niets opgeleverd. Ze was spoorloos verdwenen en daarmee ook zijn kans op de schat. Hij kon natuurlijk proberen Theodora te laten ontvoeren uit Ghamarije. Desnoods door een stel soldaten. Maar Ferdinand, sluw als hij was, had haar vast ergens verborgen tot het tijd was voor de bruiloft.

Een plotselinge vlaag tocht doofde de kaarsvlam.

'Waarom wil hij toch met haar trouwen?' vroeg de prins aan het donker.

'Waarom wil jíj met haar trouwen?' kaatste het donker terug.

Prins Frederik schrok overeind. 'Wie is daar!' Hij trok aan het schellekoord dat boven zijn bed hing. 'Wachters! Een indringer in mijn slaapkamer!'

'Je kunt je de moeite besparen, Frederik,' zei de stem. 'Jouw wachters houden wel van een slokje – ze namen de wijn die wij hun aanboden gretig aan. En nu doen ze een dutje.'

De kroonprins trok de dekens op tot aan zijn kin. 'Je hebt ze vergiftigd!'

'Ach welnee. Doe toch niet zo dramatisch, Frederik! Het is een onschuldig poedertje dat ze een paar uurtjes heerlijk laat slapen. Je krijgt er zelfs geen hoofdpijn van.'

'Wie b-ben je, met z'n hoevelen zijn jullie, en wat wil je van me?'

Vanuit de deur klonk een spottend lachje. 'Wat een vragen! Wij zijn maar alleen, want wij willen onder vier ogen met je spreken.' Prins Frederik huiverde. 'Waarom zeg je dan *wij* als je maar alleen bent?'

'Dat zullen wij aanstonds onthullen. Maar eerst hebben wij jou een voorstel te doen dat je niet kunt weigeren. Je kunt ons voorlopig Zwarte Dame noemen, maar spoedig zullen wij weer bekend zijn onder onze eigen naam. Zodra Ploenk zal herrijzen.'

De kroonprins verschoof onrustig in zijn bed. 'Herrijzen? Waar heb je het over?'

'Er broeit verzet, Frederik, onder de voormalige burgers van Ploenk. Velen hebben zich inmiddels bij ons aangesloten. Bij Trots Op Ploenk, het verzet tegen Ghamarije en Lamaarwaaie.'

'Is dit een grap of zo?' De prins giechelde ongemakkelijk.

'Integendeel,' sprak de Zwarte Dame kil. 'Het is dodelijke ernst, Frederik! Morgenochtend zullen wij met onze verzetsgroep prins Ferdinand tijdens zijn huwelijk met dat koninginnetje overrompelen. TOP zal de macht grijpen in Ghamarije en in Ferdinands deel van Ploenk. En dan zullen wij de touwtjes in handen nemen.'

'Tijdens zijn huwelijk, hm?'

'Dan is hij het minst op z'n hoede. En wat zijn legertje betreft, wij hebben nog een voorraadje van ons krachtige slaappoeder. Een gratis drankje zullen zijn soldaten vast niet afslaan.'

'Klinkt indrukwekkend. Maar hoe willen jullie met z'n allen aan de andere kant van de muur komen?'

'Wij zullen jou ons plan onthullen, Frederik, als jij ons jouw jawoord geeft.'

'Mijn jawoord?' vroeg de kroonprins geschrokken. 'Waarop?'

'Op ons voorstel.'

'O, op die manier!' zei hij opgelucht. 'Nou, kom dan maar op met je voorstel.'

'Zullen wij eerst wat licht scheppen in de duisternis?' stelde de Zwarte Dame voor. 'Dat praat wat makkelijker.'

'Goed plan. Momentje.' Even later werd een lucifer afgestreken en bloeide een vlammetje op in het kroonprinselijk slaapvertrek. 'Zo, nu kunnen we zien wat we zeggen.' Prins Frederik zette zijn slaapmuts recht en keek nieuwsgierig naar zijn nachtelijk bezoek.

Het was een statige gestalte in een zwart gewaad. Een kap hing ver over haar gezicht. De Zwarte Dame kwam dichterbij.

Prins Frederik trok de dekens nog wat hoger op.

'Wij stellen een bondgenootschap voor,' zei de Zwarte Dame. 'Jij helpt ons Ferdinand te verdrijven...'

'En dan ben jij de baas in Ghamarije,' viel de prins haar in de rede. 'Wat schiet ík daarmee op? Dan kan ik net zo goed zelf de macht daar overnemen.'

'Dat is geen goed idee,' sprak de Zwarte Dame afgemeten. 'Het ongenoegen in Ghamarije is groot. Het volk is kaalgeplukt. Binnen afzienbare tijd komt het in opstand, net als in Ploenk. Je zult je handen er vol aan hebben en geen rust meer kennen. Je zult je niet meer op je gemak kunnen volproppen, zoals nu. En je zult niet alleen met het verzet in Ghamarije te maken hebben, maar ook met het verzet van TOP.'

'Kun jij dat verzet in Ghamarije dan wél aan?'

'Daar hebben wij zo onze methodes voor,' zei de Zwarte Dame.

De kroonprins rilde even. 'Goed. En wat zijn voor mij de andere voordelen als jij de baas bent in Ghamarije?'

'Je zult nooit meer last hebben van Ferdinand.' Ze kwam nog een stukje dichterbij. 'En wij kunnen ervoor zorgen dat Theodora met jou trouwt in plaats van met hem. Dat wil je toch?'

Prins Frederik knikte. 'Hoe weet je dat?'

'Toen wij op weg waren hierheen, zagen wij de pamfletten'

'O ja. De pamfletten...'

'Allemaal bluf, nietwaar? Om Ferdinand op stang te jagen.'

Prins Frederik schudde het hoofd. 'Nee, het was geen bluf. Ik had Theodora gevangen laten nemen. Of misschien was het Catharina. Maar wie het ook was, ze is ontsnapt. Toen ze haar trouwjurk aan het passen was, een paar uur geleden. Ze is spoorloos verdwenen.'

'Ontsnapt?!' riep de Zwarte Dame, opeens furieus. '*Merde!!*'

'Wat je zegt.' De kroonprins knikte instemmend.

'Dat moet Catharina zijn geweest,' zei de Zwarte Dame. 'En Zwarte Loper heeft de rest van hun clubje ook al niet kunnen opsporen.'

De kroonprins keek haar niet-begrijpend aan. 'Wat bedoel je?'

'Doet er niet toe. Men hen rekenen wij later wel af.' Ze rechtte haar schouders. 'Goed, wij zorgen ervoor dat jij met Theodora kunt trouwen. Mits wij jouw jawoord krijgen.'

'Maar...' begon prins Frederik. 'Maar hoe krijg je Theodora zover?'

'Maak je daar maar geen zorgen over.' De Zwarte Dame schoof langzaam haar kap naar achteren. 'Ze zal doen wat wij willen.'

'Maar waarom...' De woorden stokten in zijn keel toen hij haar gezicht zag. 'Onmogelijk,' fluisterde hij toen. 'Bent u het werkelijk?'

De Zwarte Dame knikte. 'Wij zijn terug, Frederik. En ditmaal laten wij ons niet meer verjagen! Nu is het de beurt aan de anderen om op de vlucht te slaan.' Snel sloeg ze de kap weer over haar hoofd. 'Wij hebben weinig tijd meer. TOP wacht op ons in ons hoofdkwartier, klaar voor de aanval van morgenochtend. Wat zeg je op ons voorstel? Doe je mee?'

De kroonprins knikte sprakeloos.

'Mooi, dan zullen wij je vertellen wat het plan is.'

Prins Frederik spitste zijn oren.

Maar hij was niet de enige die vol aandacht luisterde. Onder zijn bed lag iemand die ook het hele gesprek had gevolgd. Het was een meisje met lang haar, dat met veel moeite zichzelf en haar enorme trouwjurk onder het ledikant had weten te proppen. Toen ze hoorde wat de Zwarte Dame te vertellen had, werden haar oren net zo rood als haar haren.

XIX

In de kast

Prins Frederik was niet de enige die wakker lag, ook zeven-nul-nul kon de slaap niet vatten. Eerst vanwege een uil, die telkens als hij net wegdommelde *oehoe!* riep, en toen waren het ook zijn gedachten die hem wakker hielden. Er was namelijk iets wat hij niet vertrouwde. En hoe meer hij erover nadacht, hoe verdachter hij het vond.

'*Oehoe!*'

Toen hij het gemorste meel had gezien, vlak voor de deur van prins Ferdinand, was er nog geen belletje gaan rinkelen. Dat gebeurde pas nadat hij ook op de trappen meel had gezien en op andere plekken in de burcht. Precies de plekken waar hij had gelopen.

'En ik had toch echt geen meel bij me,' zei hij nu in zichzelf. Zijn ogen werden groot toen het opeens tot hem doordrong. 'Maar dat betekent dat ik achtervolgd werd!!'

'*Oehoe!*'

'Houd nou eindelijk eens je kop!' riep de getergde geheim agent. Hij graaide een pantoffel van de grond en smeet hem naar het raam.

Nu was zeven-nul-nul klaarwakker. Woest sprong hij uit bed, griste zijn spionnenmantel van de haak aan de deur en kleedde zich aan. Hij ging op onderzoek uit. Nu meteen!

Even later volgde hij het meelspoor terug, kromgebogen, met een vergrootglas in de hand. Terwijl de rest van de burcht nog diep in slaap was, voerde het hem steeds verder omlaag, tot hij bij de keukens belandde. Hier ging het spoor nog een stukje verder en toen stopte het, midden in een gang. Zeven-nul-nul keek speurend om zich heen door het vergrootglas, maar hij vond geen nieuwe aanwijzingen.

'*Oehoe!*' klonk het ergens vlakbij.

Zeven-nul-nul maaide om zich heen met het vergrootglas, zonder iets te raken. 'Waar zit je, vervloekt stuk pluimvee! Dan mep ik je hoogstpersoonlijk de burcht uit!'

'*Oehoe! Oehoe!*' Het geluid kwam nu van achter een deur recht voor hem.

Hij beende eropaf en rukte de deur open. 'Nu is het afgelopen!!' brulde hij. 'Kom eruit of ik…'

Er belandde iets hards tegen zijn achterhoofd en alles werd donker.

Toen zeven-nul-nul bijkwam, zat hij op de grond naast de wachter die Theodora had bewaakt toen zij haar bruidsjurk paste. Ze zaten in een lege, muf ruikende voorraadkamer. Door een geopend luik sijpelde een zacht ochtendlicht. Ze waren allebei aan handen en voeten gebonden, en hadden een prop in hun mond. En alsof dat nog niet erg genoeg was, zag hij nu dat hij in zijn ondergoed zat. Ze hadden hem zijn mantel uitgetrokken!

Tegenover hem zaten Joram, de adjudant en Theetje.

Joram had zijn eigen kleren weer aan en de adjudant droeg het zwarte gewaad van de geheim agent. De kap was naar achteren geslagen. Theetje had een broek aan waarvan de pijpen waren omgeslagen en een iets te groot overhemd. Haar muiltjes had ze verruild voor laarzen.

Zeven-nul-nul begon te sputteren toen hij zag dat de adjudant zijn kleren droeg. 'Hmp, hmf!' klonk het dringend van achter de prop.

'Sorry, ouwe jongen!' zei Joram met een grijns. 'Maar we hebben je kleren even nodig. Tot na het huwelijk, dan krijg je ze weer terug. Oké? Tot die tijd mag je hier even wachten.' Hij knikte naar de geknevelde bewaker. 'Samen met je maat. Da's toch gezellig?'

'Hmpf!'

'Vind je trouwens niet dat de adjudant hier goed een uil kan nadoen?' Joram wachtte het antwoord niet af. 'Maar we hebben nogal haast, dus het zou fijn zijn als je een beetje wilt meewerken.'

'We willen de naam van de notaris van de kroonprins, meneer

zeven-nul-nul,' zei de adjudant. 'En we willen weten welke weg hij hiernaartoe neemt.'

De geheim agent sperde zijn ogen open.

'Ja, daar kijk je van op hè?' zei Joram. 'We hebben je gesprekje met je baas afgeluisterd en we hebben ook gehoord wat je tegen Theetje zei. Het lijkt ons een goed idee als wij die schat eerder vinden dan Ferdinand. Hij zou er toch alleen maar nare dingen mee doen. Wij zullen hem gebruiken voor een heel goed doel!'

'En als je weigert, zul je hiermee kennismaken!' Theetje keek grimmig. Ze pakte het zwaard, dat Joram haar had teruggegeven, en zwaaide er dreigend mee. 'Smerige leugenaar!' siste ze.

Zeven-nul-nul werd bleek.

De adjudant haalde de prop uit zijn mond en de geheim agent ademde diep in. 'Dorreboom!' was het eerste wat hij zei. 'Zo heet de notaris!' En hij vertelde welke route de koets zou rijden.

Toen zeven-nul-nul klaar was, stopte de adjudant de prop weer terug.

Joram maakte een buiging. 'Bedankt! En dan moeten we jullie nu helaas verlaten, want we mogen de koets niet missen.' Hij liet de gevangenen een grote sleutel zien. 'Voor alle zekerheid doen we het luik dicht en de deur op slot. Het zou toch jammer zijn als jullie alles verklapten. Tot later!'

Terwijl ze met z'n drieën door de nog stille gangen renden, sloeg de adjudant de kap over zijn hoofd. 'Ik hoop dat het lukt, meneer de Jolige, dat de prins gelooft dat ik die geheim agent bent.'

'Vast wel,' zei Joram. 'Je moet gewoon een beetje geheimzinnig doen en je zegt zo weinig mogelijk. Als je maar bij Ferdinand in de buurt blijft en hem in de gaten houdt. Intussen gaan Theetje en ik achter die schatkaart aan.'

XX

Bondgenoten

'Hellup!' riep de koning. 'Ik kan niet verder!'
Ouwe Bram en de koning hadden in het wilde weg door de gangen gerend. Hun achtervolgers waren blijkbaar ook verdwaald, want algauw hadden ze achter zich niets meer gehoord. Na een hele tijd waren ze net als Joram en de adjudant bij de touwladder gekomen. Omdat de koning ertegen opzag om naar boven te klimmen, had Ouwe Bram hem voor laten gaan.
'Dan kan ik u opvangen als u valt,' had hij gezegd.
Maar nu zat de koning dus klem. 'Harder duwen!' riep hij naar omlaag.
'Ik doe... m'n... best!' kreunde Ouwe Bram onder hem. 'Maar... uwe majesteit is... niet bepaald... een veertje!!'
Het volgende moment schoot de koning los en viel languit op de grond. Uit zijn wijde mouwen rolden puzzelstukjes in alle soorten en maten. Haastig krabbelde hij overeind en begon ze op te rapen.
'Moet je zien!' riep hij enthousiast. 'Die was ik al tijden kwijt!'
'Sssst!' deed Ouwe Bram terwijl hij zich uit de put omhooghees. 'Anders horen ze ons nog, majesteit!'
'Ik zie anders niemand,' zei de koning. 'Alleen een hoop bomen.'
Toen klaarde zijn gezicht op. 'We zijn vlak bij mijn paleis!'
'Ja, maar daar gaan we nu niet naartoe,' zei Ouwe Bram.
'O nee?'
'Nee. Theetje gaat trouwen met Ferdinand, weet u nog wel?'
'O ja,' zei de koning, terwijl hij weer naar de puzzelstukjes keek. 'Dat was ik bijna vergeten. Daar moeten we natuurlijk bij zijn. Stel je voor dat een vader niet bij het huwelijk van zijn dochter is!'
Ouwe Bram zuchtte. 'Ze wil niet met hem trouwen, majesteit.

Bovendien gaat de Zwarte Dame ze overvallen, samen met TOP. Dus moeten we erheen om dat te voorkomen.'

De koning fronste zijn wenkbrauwen. 'Ja ja, we moeten het voorkomen. Vanzelfsprekend. Maar eh hoe doen we dat?'

'We moeten over de muur heen. Als het goed is, zijn de baas en de adjudant al in Ghamarije. Hij zal onze hulp goed kunnen gebruiken. En we moeten hem waarschuwen voor de Zwarte Dame.' Hij trok de koning overeind. 'We gaan het Woelige Woud in, majesteit. Hopelijk vinden we een plek waar we makkelijk de muur over kunnen.'

'Moet ik dan klimmen?' vroeg de koning bezorgd.

'Waarschijnlijk wel,' zei Ouwe Bram. 'Maar ik zal u een handje helpen.'

De koning wilde net gaan lopen toen Ouwe Bram hem bij zijn mantel greep. 'Wacht!' fluisterde hij. Hij sleurde de vorst achter de waterput en trok hem ruw naast zich omlaag.

'Wat is er?' vroeg de koning geschrokken.

'Daar!' Ouwe Bram wees.

In de verte, uit de richting van Lamaarwaaie, kwam een stel soldaten aan gemarcheerd. Ze droegen een kuras en een helm, en waren uitgerust met zwaarden, donderbussen en ladders. Een viertal soldaten sleepte bovendien nog een log kanon achter zich aan.

Voorop hobbelde prins Frederik in het zadel van een groot paard. Hij had zich door drie soldaten in een te krap harnas laten proppen. Een passende helm had de lakei niet voor hem kunnen vinden, dus droeg hij maar een steek. Een roestig slagzwaard bungelde aan zijn zij.

'Oei,' zei Ouwe Bram, 'dat ziet er niet best uit.'

'Waarom hebben ze al die ladders bij zich?' vroeg de koning. 'En wie is die bolle kerel in dat harnas dat hem tien maten te klein is?'

'Prins Frederik,' zei Ouwe Bram, 'uw dochter de koningin heeft me een keer een schilderijtje van hem laten zien. Had-ie meegestuurd met een doos bonbons. In het echt is-ie trouwens een stuk dikker.' Hij keek naar de koning. 'En die ladders... dat kan maar één ding betekenen. Ze gaan de muur over.'

'Hm.' De koning streek peinzend over zijn baard en hij plukte er toen een puzzelstukje uit. 'Misschien kunnen wij er dan eentje van ze lenen? Ze hebben er zo te zien genoeg.'

Ouwe Bram probeerde zich in te houden. 'U snapt het niet, majesteit! Volgens mij gaat prins Frederik Ghamarije aanvallen. Waarom neemt hij anders een bewapend legertje mee? En een kanon?'

Op dat moment verschenen er, als vanuit het niets, twee in pijen gehulde gestalten, die zich bij de kroonprins voegden.

Ouwe Bram herkende ze meteen. 'De Zwarte Dame en Zwarte Loper!' riep hij. 'Wat spoken die hier uit?'

De optocht hielt halt en de twee gestalten begonnen te overleggen met de kroonprins. Ze wezen naar het Woelige Woud en Frederik knikte.

Ouwe Bram vloekte binnensmonds. 'Zo te zien heeft de Zwarte Dame een bondgenoot gevonden. Hadden we maar postduiven, dan konden we Joram alvast waarschuwen. En Theetje.'

'Waar is de rest?' vroeg de koning toen opeens.

'De rest?'

'Ja, van TOP.'

Ouwe Bram keek naar de koning, verbaasd dat hij opeens weer bij de les was. 'Dat hebt u goed gezien, majesteit! Ze zijn inderdaad alleen, de Zwarte Dame en haar hulpje. Vreemd.' Toen zweeg hij, want de stoet kwam weer op gang. Hij legde zijn vinger tegen zijn lippen.

De koning knikte dat hij het begreep.

De Zwarte Dame was met enige moeite achterop gaan zitten bij de prins en Zwarte Loper liep op een drafje ernaast. Een paar minuten later kwam de optocht vlak langs de waterput.

'Het is een schandaal!' hoorden ze prins Frederik zeggen. 'Dat doet die rat expres, zo dicht bij de muur. Om mij te tergen en te tarten!'

'Maar het komt ons goed uit,' zei de Zwarte Dame. 'Dan hoeven wij tenminste niet het hele eind naar zijn kasteel af te leggen. En Ferdinand zal raar opkijken als wij plotsklaps voor zijn neus staan.'

'Dat kan wel zo zijn,' sprak de prins, 'maar eerst moeten mijn mannen nog die verdikkemese muur over. Ik kon natuurlijk niet al mijn manschappen vrijmaken, anders is mijn deel van Ploenk onbewaakt. Hier zijn er maar een stuk of twintig. Is dat wel genoeg?'

'Ruim voldoende, m'n beste. Ferdinand heeft een leger van niets. Overigens is er al een voorhoede van TOP in Ghamarije. Om voorbereidend werk te verrichten,' voegde ze eraan toe. 'Waarschijnlijk kunnen we het land zonder enig bloedvergieten in handen nemen. Vergeet niet, Ghamarije moet ons als de redder in nood zien. Niet als veroveraar.'

De rest van het gesprek was niet meer te volgen, omdat de Zwarte Dame en prins Frederik alweer buiten gehoorsafstand waren.

Ouwe Bram en de koning hielden zich gedeisd tot de allerlaatste soldaat het Woelige Woud in marcheerde. Toen kwamen ze achter de put vandaan en keken voorzichtig om zich heen.

'Vader! Ouwe Bram!' klonk het achter hen.

Ze draaiden zich om en zagen Kaatje aan komen rennen, in een grote bruidsjurk.

'Prinses!' riep Ouwe Bram. 'Waar kom jij zo ineens vandaan?'

'En waarom heb je die jurk aan, Catharina?' vroeg de koning.

'Ik was bijna getrouwd met Frederik,' zei Kaatje toen ze bij hen stond.

'Je meent het!' zei Ouwe Bram. 'Nou, je bent niet de enige. Je zus…'

'Ja, ik weet het,' zei Kaatje. 'Daarom ben ik Frederik en z'n legertje gevolgd. Om Theetje te helpen.'

'Maar waarom wilde Frederik met je trouwen?' vroeg Ouwe Bram. 'Hij heeft de helft van Ploenk toch al?'

'Hij wilde met me trouwen vanwege een schat.'

'Een schat?' zei Ouwe Bram.

Kaatje knikte. 'Hoe het precies zit, weet ik niet. Maar hij moet met de prinses van Ploenk trouwen om die schat in handen te krijgen. En ik heb een gesprek afgeluisterd tussen hem en de Zwarte Dame. In z'n slaapkamer. Blijkbaar heeft ze hem laten zien wie ze was, want hij schrok nogal. Jammer genoeg kon ik het niet zien van onder zijn bed.'

'Catharina!' De koning keek haar geschokt aan. 'Wat deed jij onder het bed van Frederik?'

'Me verstoppen, vader, omdat hij me gevangen wilde nemen.'

'Herkende je haar stem niet?' vroeg Ouwe Bram.

Kaatje rilde opeens. 'Even dacht ik dat het...' Ze schudde ongelovig haar hoofd. 'Maar dat kan gewoon niet, die is hier mijlenver vandaan.' Toen keek ze Ouwe Bram indringend aan. 'Ze heeft een bondgenootschap met Frederik gesloten. Hij gaat haar helpen om...'

'... Ghamarije te veroveren,' voltooide Ouwe Bram.

Kaatjes mond viel open. 'Hoe weet jij dat?'

'We zagen ze net met elkaar overleggen, de Zwarte Dame en Frederik. En we vingen ook wat op toen ze hierlangs kwamen. De Zwarte Dame zei dat er al wat lui van TOP in Ghamarije zitten. Stiekem.'

'Dan is er helemaal geen tijd te verliezen,' zei Kaatje. 'Snel, achter ze aan!'

Ouwe Bram bleef staan. 'Maar wat kunnen we nou tegen een heel leger beginnen, prinses?'

'We zullen een list moeten bedenken.'

De koning knikte. 'Ja, een list. Dat is altijd goed.' Zijn gezicht betrok. 'Helaas is het niet mijn sterkste punt.'

'De baas is altijd goed in listen,' zei Ouwe Bram. 'Maar ja, die is aan de andere kant van de muur. Als het goed is.'

XXI

De overval

'Ik weet niet of ik het wel kan, Joram,' zei Theetje. 'Ik heb nog nooit eerder een koets overvallen.'

Joram gaf haar een knipoog. 'Geeft niks, je doet gewoon wat ik doe.'

Ze zaten bij de weg waarlangs ieder moment de koets van de notaris kon komen. Joram had een plek gekozen waar aan beide kanten hoge struiken stonden, zodat ze zich goed konden verbergen.

'Maar als we nou niet op tijd terug zijn voor het huwelijk?' zei ze. 'Als ze ontdekken dat ik er niet ben, mislukt ons plan.'

'Dit is zo gebeurd, geen zorgen.'

'Maar...'

'Ssst!' deed Joram. 'Er komt iets aan, luister!'

Theetje luisterde. Eerst hoorde ze niets, toen klonk er een vaag geklepper van paardenhoeven en geratel van karrenwielen.

Joram grijnsde. 'Ja hoor, da's een koets. Geen twijfel aan.' Hij gebaarde naar de struiken aan de overkant. 'Snel, neem je plaats in! En niet vergeten, Theetje, wij zijn aardige rovers. En beleefd!'

Theetje knikte en schoot de struiken in.

Niet veel later verscheen om de bocht een koets, getrokken door twee paarden, die op hun gemak voortsjokten. Op de bok zat een door weer en wind kromgebogen koetsier.

Op een fluitsignaal van Joram sprongen hij en Theetje allebei met getrokken zwaard tevoorschijn uit hun struiken.

De paarden hinnikten geschrokken en de koetsier viel bijna voorover.

Joram stak een hand op. 'Halt!'

De koets remde met piepende wielen en kwam vlak voor de struikrovers tot stilstand. Meteen dook er een hoofd op uit een van de raampjes. Het was een dor mannetje met een hoge hoed.

'Wat heeft dit te betekenen!' vroeg hij op hoge toon. 'Ik ben op weg naar een belangrijke gebeurtenis.'

'En u ook een bijzonder goede morgen gewenst,' zei Joram. Hij boog. 'Mijn naam is Joram de Jolige, rechtvaardig herverdeler van geld en goed en nog veel meer. Maar daar hebben we nu geen tijd voor.' Hij knikte naar Theetje. 'Dit hier is mijn charmante assistente Theodora van Ploenk. Beter bekend als Theetje. Van haar hebt u vast wel eens gehoord!'

'Huh?' Het mannetje pakte een brilletje en klemde het op zijn neus. Toen keek hij naar Theetje en het brilletje viel op de grond. 'Maar... maar dit kan niet! Ik was net op weg om... om...'

'Om getuige te zijn van het huwelijk tussen Theodora en Ferdinand. Inderdaad.' Joram liep naar de koets toe en deed het portier open. 'U zult begrijpen dat dat niet doorgaat vandaag.'

'En ook niet op een andere dag,' voegde Theetje eraan toe. Ze liep naar de koetsier en stak het zwaard naar hem uit. 'Waag het niet om weg te rijden!'

'N-nee, mevrouw...' zei de koetsier.

De notaris begreep er niets van. 'Hoe weet u dat ik vandaag het huwelijk van Ferdinand en...'

'Stapt u maar uit, beste notaris,' zei Joram. 'Dan kunnen we even wat dingetjes regelen.'

'U kunt alles hebben wat u wilt,' begon de notaris, terwijl hij uit de koets stapte. Hij haalde uit zijn jas een oud zakhorloge tevoorschijn. 'Dit was nog van mijn overgrootvader, het is vast veel geld waard. En ik heb ook...'

Joram schudde het hoofd. 'Vandaag niet, beste kerel.'

'Vandaag niet?' Notaris Dorreboom keek niet-begrijpend. 'Hoezo? U bent toch een struikrover?'

'Tut tut, zo zou ik het niet willen noemen. En vandaag ben ik hier voor een heel goed doel. We gaan namelijk de arme bevolking van Ghamarije helpen aan een hoop geld. Daar wilt u vast wel aan meewerken, toch?'

'Een collecte?' De notaris pakte een fluwelen zakje met rinkelende munten uit een versleten, zwartleren koffertje en begon erin te rommelen. 'Ik heb hier nog wel een paar stuivers, die…'

'Wij dachten aan een wat grotere bijdrage, nietwaar Theetje?'

Theetje knikte. 'We willen de schatkaart. *Alstublieft*,' voegde ze eraan toe.

De notaris werd bleek. Hij sloot het koffertje en klemde het tegen zich aan. 'Welke schatkaart?'

'Die in dat koffertje zit, natuurlijk.' Joram glimlachte vriendelijk. 'Wij weten namelijk alles. Hè Theetje?'

Theetje knikte grimmig. 'Alles. Van de schat en dat prins Ferdinand daarom moet trouwen met de prinses van Ploenk.'

'Geen denken aan.' De notaris perste zijn lippen op elkaar.

'Wat?' zei Joram.

'U krijgt de kaart niet. Notariskantoor Dorreboom & Dorreboom bestaat al vele eeuwen en wij nemen onze plicht serieus. Nog nooit hebben wij onze klanten teleurgesteld.' Hij keek Joram uitdagend aan. 'En nimmer zijn wij gezwicht voor dreigementen, chantage en omkoperij.'

'Maar…' begon Joram.

'U krijgt de kaart niet. Tenminste niet zolang ik leef.'

Hulpeloos keek de nu niet meer zo vrolijke rover naar Theetje.

Theetje dacht snel na. Opeens moest ze denken aan de meisjes in haar romannetjes. Ze smeet haar zwaard opzij en liet zich voor de notaris op de grond vallen. 'Alstublieft!' zei ze smekend. 'Helpt u mij! Het spijt me dat we u hebben overvallen, maar ik ben ten einde raad!'

De notaris keek haar verward aan. 'Eh…'

Theetje greep zijn broek beet. 'Prins Ferdinand houdt niet van mij. Hij hield me gevangen in zijn allerdiepste en allerkoudste kerker, op water en brood. En na het huwelijk, als hij de schatkaart heeft, moet ik er weer in terug. Voor de rest van mijn leven! Met alleen uitgehongerde ratten als gezelschap!'

'Tja, ik eh…'

'En zijn onderdanen worden door hem uitgezogen en uitgeperst, notaris. Het land is dor en arm, niets groeit er. Alstublieft, helpt u ons!' Ze begroef haar gezicht in zijn broekspijpen en begon hartverscheurend te snikken.

Zowel de notaris als Joram keken ontzet toe.

Joram deed een stap haar kant op. 'Theetje...'

Heel even keek ze hem aan en gaf hem, zonder dat de notaris het zag, een vette knipoog.

De notaris leek even na te denken, zuchtte, en opende toen het koffertje. Ditmaal haalde hij er een opgerold stuk perkament uit. Het was rafelig en vergeeld. Hij gaf het aan Joram. 'Ik vrees dat u er niet veel aan zult hebben, meneer de Jolige. Maar ik wens u en hare hoogheid er succes mee.'

'Waarom zullen we er niet veel aan hebben?' vroeg Joram.

'Het is niet compleet.'

Voorzichtig streek Joram het perkament glad en toen zag hij het. 'Oeps.'

Theetje was inmiddels gaan staan. 'Er is een stuk afgescheurd,' zei ze.

'De helft, om precies te zijn,' zei de notaris.

Joram keek hem vragend aan. 'En wie heeft de andere helft?'

'Die is nu nog in het bezit van mijn broer, Dorreboom Twee. We zijn een tweeling. Ik ben Dorreboom Eén, de oudste van de twee. Mijn broer is met de andere helft onderweg naar Lamaarwaaie.'

Theetje en Joram keken elkaar aan. 'Toch niet naar...'

De notaris knikte. 'Inderdaad, naar kroonprins Frederik. Die zijn deel van de schatkaart zal krijgen zodra hij getrouwd is met de prinses van Ploenk. Alleen begrijp ik niet goed hoe dat huwelijk kan doorgaan als u hier bent, hoogheid,' voegde hij er fronsend aan toe.

'Kaatje!' riepen Joram en Theetje tegelijk. 'Frederik heeft Kaatje gevangen!'

XXII

Voorbereidingen

Hoewel het nog steeds vroeg was, was het al een drukte van belang, vlak bij de muur aan de kant van Ghamarije. Er waren een hoop bomen gekapt om een open plek te maken, en timmerlui waren bijna klaar met het maken van een planken verhoging. Soldaten hingen intussen onhandig wat slingers in de takken van de omringende bomen.

'Die dingen zijn in geen eeuwen gebruikt,' mopperde een van de soldaten tegen een andere. 'Ze scheuren waar je bij staat.'

De andere knikte. 'En ze zijn verkleurd. Maar ja, de kroonprins is te zuinig om nieuwe te kopen. Zelfs nu hij gaat trouwen.'

'Jongens,' klonk het achter hen. 'Willen jullie een wijntje? Jullie zullen vast wel dorst hebben gekregen van al dat werk.'

Het was een oud besje in een versleten jurk. Haar grijze haar hing in slierten over haar gezicht. In haar ene hand hield ze een grote stenen kruik, in de andere twee tinnen bekers.

De soldaten keken elkaar aan.

'Nou, graag!' zei de ene. 'Ik sla een slokkie niet af.' Hij likte zijn lippen.

De andere keek bedenkelijk. 'Ho effe, Janus. Kweenie of dat wel mag, drinken tijdens het werk.'

Het vrouwtje keek hem sluw aan van onder een rafelige wenkbrauw. 'Het is op kosten van de kroonprins,' zei ze toen. 'Omdat het vandaag feest is.' Ze begon de bekers vol te schenken.

'O,' zei de soldaat. 'Nou, dan zal het wel mogen. Valt me reuze van hem mee,' fluisterde hij tegen zijn maat.

'Op de kroonprins en z'n nieuwe bruid!' De soldaten dronken de bekers in één teug leeg en gaven ze weer terug aan het vrouwtje. 'Aparte smaak.'

'Het is kruidenwijn,' zei ze. 'Daar kikker je van op.'
'Nou, dat kenne we wel gebruiken!'
'Waar zijn jullie makkers?' vroeg ze toen. 'Alle soldaten van zijne hoogheid hebben recht op een beker gratis wijn.'
De twee soldaten wezen het vrouwtje waar ze de anderen kon vinden en gingen weer aan het werk.

Vlak bij het podium stond een grote tent. Erbinnen fladderden hofdames om de bruid heen en legden de laatste hand aan haar japon. 'Zo is het wel genoeg!' zei Bets na een tijdje. 'Alles hoeft niet precies op de juiste plaats te zitten. De kroonprins ziet het toch niet en bovendien wordt er niet getrouwd.'
'Ja, maar dat weet híj niet,' bracht Sjaan ertegen in.
'En da's maar goed ook,' zei Bets.
Een meisje kwam naar hen toe gehold. 'De kroonprins staat voor de tent,' zei ze buiten adem. 'Hij wil z'n bruid zien! Nu meteen!'
'Wat krijgen we nou?' zei Sjaan. 'Dat gaat zomaar niet.' Ze liep met grote passen naar de ingang en sloeg de tentflap open.
Daar stond prins Ferdinand in een glanzend gepoetst harnas, met een bepluimde helm onder zijn arm en een kort zwaard aan zijn zij. 'Waar is mijn bruid!' loeide de kroonprins. Hij wilde Sjaan opzij duwen, maar ze hield stand.
'Dat kan niet, sire,' zei ze vastberaden.
De prins werd rood. 'En waarom niet?!'
'Omdat het ongeluk brengt als de bruidegom de bruid op de dag van het huwelijk ziet vóórdat de plechtigheid begint.'
'Onzin!' grauwde de prins. 'Bijgeloof en bakerpraatjes. Ik wil haar zien! Nu!' Hij gaf Sjaan opnieuw een duw en stormde naar binnen. 'Waar is ze!!'
De vrouwen stonden nog steeds om de bruid heen.
'Opzij jullie!'
Geschrokken stoven ze uiteen en toen stond de prins tegenover zijn aanstaande, die bibberde als een rietstengel. Voor haar gezicht hing een sluier.

'Waarom draag je dat ding hierbinnen?' vroeg hij, terwijl hij naar haar toe liep. 'Je kunt je voor mij niet verstoppen, Theodora, dat weet je toch?' Zijn woede maakte plaats voor een gemene grijns toen hij naar de sluier reikte.

In een oogwenk stond Bets voor zijn neus.

'U hebt uw bruid kunnen zien, sire,' zei ze streng. 'Wij zijn nog niet helemaal klaar met de voorbereidingen. En u hebt vast ook nog het nodige te doen, dus ik stel voor dat u ons nu alleen laat.'

De hand van de prins aarzelde, toen liet hij hem zakken. Hij keek Bets dreigend aan. 'Jij hebt lef, naaister. Kijk maar uit met je scherpe tong.'

'Sire,' zei Trees. 'Zeven-nul-nul vraagt naar u. Hij staat buiten. Er is iets belangrijks.'

'Je hebt geluk, Theodora. Je kunt nog even verstoppertje spelen, maar niet voor lang meer!' De prins draaide zich om en verliet de tent.

'Oef,' zei Sjaan, 'dat scheelde maar een haartje!' Ze liep naar de bruid. 'Je hebt het goed gedaan, kind.'

De bruid tilde haar sluier op. Het was een blond meisje met bruine ogen. 'Ik was even bang dat ik zou flauwvallen,' bekende ze.

Bets keek donker voor zich uit. 'Laten we hopen dat hare hoogheid Theetje gauw weer terug is, anders is flauwvallen wel het minste waar we bang voor moeten zijn.'

Prins Frederik en zijn mannen stonden inmiddels verdekt opgesteld in het Woelige Woud, vlak bij de andere kant van de muur. De prins hield een krakende zak met worstenbroodjes vast, waaruit hij er af en toe eentje opviste en in zijn mond propte.

Naast hem stonden Zwarte Loper en de Zwarte Dame.

'Waar zijn uw mensen eigenlijk?' vroeg de prins. 'Moeten zij zo langzamerhand niet eens klaar gaan staan?'

'Dat staan ze al.'

'Waar dan?' Prins Frederik keek om zich heen. 'Hebben ze zich verstopt?'

'Nee, ze hebben zich niet verstopt. De leden van TOP bevinden zich nog in ons hoofdkwartier, wachtend op mijn teken. Dat Zwarte Loper hier aan hen zal overbrengen.'

'Maar majes…'

'Neen, Frederik,' onderbrak ze hem streng. 'Tot wij de strijd gewonnen hebben, zijn wij voor iedereen de Zwarte Dame.'

'Wat ik wilde zeggen, dan zijn ze toch nooit op tijd aan de andere kant?'

'Wacht maar af,' zei de Zwarte Dame. Ze keek omhoog naar een van de bomen, waar een soldaat in zat met een kijker. 'Zie je Theodora al?'

'Ze zit nog steeds in die tent,' antwoordde de soldaat, terwijl hij door de kijker bleef turen. 'En de kroonprins staat in vol ornaat te kleppen met een of ander figuur in een zwarte jurk. Geen soldaat, volgens mij.'

'Ahem,' klonk opeens een stem naast prins Frederik.

Iemand tikte *tok tok* op zijn metalen omhulsel en de kroonprins draaide zich om. Naast hem stond een heertje met een uitgestreken gezicht. Hij droeg een vaal kostuum en een hoge hoed en had een zwartleren koffertje bij zich. Hij hield het tegen zich aan gedrukt alsof er goud in zat.

'Notaris Dorreboom!' De prins hapte naar adem. 'Wat doet ú hier?'

'U hebt een koets gestuurd, hoogheid, om mij op te halen. Bij uw paleis zei men dat u hier was. Ik ben zo vrij geweest de koets meteen door te laten rijden.' De notaris haalde een horloge aan een ketting uit zijn vestzak. 'Ik moest vóór tien uur hier zijn. Het is nu tien voor tien.' Hij trok een wenkbrauw op toen hij de bewapende soldaten zag, die van achter hun bomen naar hem tuurden. 'Gaat het huwelijk hier plaatsvinden?'

'Welk huwelijk?' zei prins Frederik.

'Uw huwelijk met Theodora van Ploenk.'

'O, dát huwelijk!' De prins keek even naar zijn zwaard. 'Jazeker, maar eerst moet ik nog even euh wat anders afhandelen.'

'Waar heb jij een notaris voor nodig, Frederik?' vroeg de Zwarte Dame.

Zwarte Loper, die tot dan toe had gezwegen, richtte nieuwsgierig zijn hoofd op.

De kroonprins schraapte zijn keel. 'Och, zomaar. Leek me wel gezellig. Notaris Dorreboom werkt al jaren voor ons. Hij is zowat familie.'

De Zwarte Dame keek naar het koffertje. 'Wat zit daarin?' vroeg ze aan het mannetje. 'U lijkt er nogal aan gehecht.'

'Dat is geheim,' zei de notaris. 'Pas na het huwelijk mag ik de inhoud in eigen persoon aan de prins overha…'

'Stil!' snauwde prins Frederik. 'Eh ik bedoel, laten we stil zijn,' ging hij iets rustiger verder. 'Anders horen de anderen dat we hier zijn.' Hij gebaarde naar de muur.

De Zwarte Dame liet zich niet afpoeieren. 'U bent hier vanwege het huwelijk, notaris,' constateerde ze.

De notaris klemde zijn lippen op elkaar.

'En in die tas zit iets wat de prins pas na het huwelijk krijgt. Omdat het huwelijk de voorwaarde is. Nietwaar?'

Notaris Dorreboom keek nu ongemakkelijk van de prins naar de Zwarte Dame en weer terug.

Ze wierp een onderzoekende blik op de kroonprins, die betrapt wegkeek. 'Frederik, als jij dat' – ze knikte naar het zwarte koffertje – 'zou kunnen krijgen zonder met Theodora te hoeven trouwen, zou jij dat dan doen?'

De prins dacht even na en knikte toen.

'Goed. Wat er ook in die tas zit, wij krijgen er ieder de helft van en jij helpt ons nog steeds om Ghamarije te overmeesteren. Ja?'

'Ja, maar wat wilt u…'

'Soldaten, grijp de notaris.'

Het mannetje werd bleek. 'Maar dat is hoogst ongebruikelijk!' sputterde hij. 'En volstrekt niet legaal.'

'Dat laat ons volstrekt koud,' zei de Zwarte Dame. Ze keek toe terwijl soldaten het mannetje optilden. 'Zwarte Loper, breng dat koffertje hier.'

'Zoals u wenst.' Hij liep naar de hulpeloze notaris, griste het koffer-

tje uit zijn handen, en gaf het aan zijn bazin.

Even later was het open. De Zwarte Dame haalde er een opgerold stuk perkament uit. Ze streek het glad en bestudeerde het.

Zwarte Loper keek over haar schouder mee.

'En?' zei prins Frederik nieuwsgierig. 'Als het goed is, is het een schatkaart.'

'Daar lijkt het wel op, ja.' De Zwarte Dame rolde de kaart weer op. Zwarte Loper stak zijn hand uit. 'Zal ik hem voor u bewaren, met uw welnemen?' vroeg hij gretig.

'Nee, dank je. Dat kunnen wij zelf heel goed.' Ze stak de kaart bij zich. 'Het is inderdaad een plattegrond, Frederik. Jammer alleen dat iemand de helft eraf heeft gescheurd.'

'De helft!' riep de prins uit. 'Was ik bijna tegen mijn zin met Catharina getrouwd voor een *halve* schatkaart!'

De Zwarte Dame antwoordde niet. Ze keek naar de notaris die door twee stevige soldaten onder zijn oksels werd vastgehouden. Zijn voeten bungelden een eindje boven de grond. 'Waar is de andere helft?'

'Ambtsgeheim,' piepte het mannetje. 'Mag ik niet zeggen.'

'Goed,' sprak de Zwarte Dame koeltjes. 'Rooster zijn voetzolen boven een laag vuurtje tot hij gaat praten.'

De notaris verschoot van kleur. 'Nee, dat hoeft niet! Ik zal u alles vertellen!'

'Mooi. Wij luisteren.'

Notaris Dorreboom schraapte zijn keel en stak van wal. Tijdens zijn verhaal werden de ogen van prins Frederik groter en groter.

XXIII

Op de muur

'Hoogheid Theetje!' De tentflap ging omhoog en Bets kwam binnen. Haar bolle wangen zagen rood van opwinding. 'Het is zover!'

Alle vrouwen in de tent keken naar Theetje, die als een zielig hoopje in een hoek zat. Ze was een kwartiertje geleden aan de achterkant onder het tentdoek naar binnen gekropen. 'Gaat het, hoogheid?'

'Nee,' zei Theetje, 'niet echt. Maar het zal wel moeten.'

'Ik weet dat u verdrietig bent om prinses Catharina,' zei Bets. 'Zodra we prins Ferdinand en z'n soldaten verjaagd hebben, gaan we haar bevrijden. En als prins Frederik haar niet wil laten gaan, dan krijgt-ie het met ons aan de stok, hè meiden?'

Alle vrouwen knikten.

Theetje glimlachte flauwtjes en dwong zichzelf op te staan. Terwijl de vrouwen de plooien uit haar jurk streken en hier en daar nog wat dingen verschikten, bekeek ze zichzelf in de staande spiegel. Ze zag een bibberend meisje. Toen hingen Bets en Sjaan een sluier over haar gezicht en stond er een bruid.

Buiten klonken klaroenstoten en tromgeroffel.

'Zijne kroonprinselijke hoogheid, Ferdinand van Ghamarije!' schalde een stem.

Er steeg een zwak gejuich op.

Omringd door de vrouwen, van wie twee haar sleep vasthielden, verliet Theetje de tent en ging ze op weg naar de verhoging. 'Het is net of ik naar het schavot ga,' fluisterde ze tegen Bets.

Bets knikte en legde een hand op haar arm. 'Dat gevoel had ik ook toen ik ging trouwen,' fluisterde ze.

Terwijl Theetje de treden naar de verhoging beklom, schalde de aankondiger: 'Hare koninklijke hoogheid Theodora van voorheen Ploenk!'

Prins Ferdinand keek haar triomfantelijk aan. Zijn harnas schitterde in de ochtendzon en de pluim op zijn helm wapperde in de frisse ochtendbries. Naast hem stond de adjudant, vermomd als zevennul-nul, en achter hen de notaris, die zijn koffertje nog steeds stevig vasthield. Beiden gaven haar haast onmerkbaar een knikje.

Dat gaf Theetje de moed die ze nodig had. *Van voorheen Ploenk?* Niks *voorheen*, dacht ze opeens strijdlustig. Dát laat ik niet gebeuren! Met gebalde vuisten ging ze naast de kroonprins staan. Het was maar goed dat ze een sluier droeg, anders had haar vlammende blik hem nog verschroeid.

'Nu is het dan eindelijk zover, Theodora,' fluisterde de prins met een grijns. 'Er is geen ontkomen meer aan!'

Hij knikte kort toen een mannetje met een kaal hoofd en een zwart gewaad voor hen kwam staan. Hij had een wit boord om.

'Laten we maar meteen beginnen, Vader,' zei prins Ferdinand. 'En hou het kort. Ik heb vandaag nog meer te doen.'

De priester boog nederig. 'Zoals u wenst, sire.' Hij keek de kroonprins aan en sprak: 'Neemt gij, Ferdinand van Ghamarije, de hand van Theodora van voorheen Ploenk, en belooft ge...' Hij ratelde de rest er zo snel achteraan dat het onverstaanbaar was en zweeg toen.

'Ja,' zei prins Ferdinand kort. Hij keek even achter zich en fluisterde tegen de notaris: 'U hebt de plattegrond toch meegenomen, hè?' Het mannetje gaf een tikje op zijn tas.

'Mooi zo.' De prins keek naar zeven-nul-nul. 'En jij hebt de ring bij je?'

De geheim agent aarzelde even en knikte toen.

'Lijkt het maar zo of ben je langer geworden?' Prins Ferdinand gebaarde naar de priester. 'Goed, maak er dan maar gauw een eind aan, Vader.'

'Ahem,' deed de priester. 'Wilt gij, Theodora van voorh...'

Maar hij kreeg de kans niet zijn zin af te maken.

'Niks voorheen!' riep Theetje. Ze rukte de sluier van haar gezicht. 'Ploenk zal weer bevrijd worden!' Ze keek fel om zich heen. Iedereen was doodstil, behalve prins Ferdinand. 'Wat heeft dit te betekenen!' Hij wilde zijn zwaard trekken, maar de adjudant, Bets en de andere vrouwen waren hem te snel af. En voor Ferdinand het wist, was hij vastgebonden.

Tot besluit duwde de notaris een prop in zijn mond. 'Hier is uw helft van de kaart, sire!'

Ferdinand trok verbijsterd zijn wenkbrauwen op.

Toen stapte Theetje naar voren. Ze keek naar de mensen die haar allemaal met open mond aanstaarden en haalde diep adem. 'Ik wilde helemaal niet met prins Ferdinand trouwen, maar hij dreigde dat-ie m'n vrienden kwaad zou doen als ik weigerde. Maar ze zaten helemaal niet in zijn kerker, dat had zeven-nul-nul alleen

maar gezegd om me bang te maken. Enne... de kroonprins wilde helemaal niet met me trouwen omdat hij van me hield, zoals in mijn romannetjes, ook al zijn die volgens Kaatje dan niet echt, maar omdat-ie dus de schat wilde hebben.'

Bij het woord schat werd het nog onrustiger dan het al was.

'De schat?' klonk het op verschillende plaatsen tegelijk. 'Wat voor schat?'

'Weten jullie daar niets van?'

'Nee!' klonk het nu. 'Vertel op!'

'Zo dadelijk!' kwam Bets tussenbeide. 'Laat hoogheid Theetje eerst uitspreken.'

'Nou,' ging Theetje verder, 'en toen vroeg Bets dus of ik misschien wilde helpen Ferdinand te verjagen. Samen met Joram. En daarna of ik ook jullie koningin wilde worden. In plaats van Ferdinand als koning.' Ze zweeg even en keek naar de meute.

Niemand zei iets.

'Het hoeft niet hoor,' zei Theetje toen haastig. 'Alleen als jullie dat willen. En dan kunnen jullie altijd bij me terecht voor vragen en zo.' Ze keek om hulp vragend naar Bets.

'Wie wil dat de kroonprins de baas blijft in Ghamarije?' vroeg Bets. Het bleef stil.

Theetje voelde haar hart bonken in haar keel.

'Wie wil dat prins Ferdinand ophoepelt en nooit maar dan ook nooit meer terugkomt?' vroeg Bets toen.

Iedereen stak zijn arm in de lucht. Een enthousiast gejoel doorsneed de stilte. 'Weg met Ferdinand!'

'Jullie weten dat hare hoogheid Theetje een goede koningin was voor Ploenk,' zei Bets toen het wat rustiger was geworden. 'En dat wordt ze weer als ook prins Frederik opkrast uit Ploenk. Daarom heb ik haar gevraagd of ze onze vorstin wil worden.' Ze zette haar handen in haar zij en keek naar de menigte. 'Of hebben jullie liever iemand anders?'

'Luister niet naar Theodora en haar bendeleden!' klonk een stem vanaf de muur. 'Het zijn leugenaars!'

Iedereen draaide zich om.

Op de muur, die daarnet nog leeg was geweest, stond een rij soldaten met getrokken zwaarden en donderbussen in de aanslag. In hun
midden bevond zich een fiere gestalte in een zwart gewaad. Naast
haar stond een lange figuur met een te korte pij, waaronder glimmende gespen zichtbaar waren.

De Zwarte Dame schudde met een vuist naar het podium.
'Vertrouw haar niet! Ze heeft Ploenk in de steek gelaten nadat ze
haar eigen land had leeggeplunderd. Nu wil ze Ghamarije voor
zichzelf hebben en straks ook nog Lamaarwaaie. Willen jullie een
bewijs van haar bedrog? Kijk maar eens naar de soldaten van jullie
kroonprins.'

Iedereen keek. De soldaten, waar ze ook hadden gestaan of gezeten,
lagen nu luid snurkend te slapen.

'Hoe kan dat nou?' zeiden mensen tegen elkaar.

'Een snelwerkend slaapmiddel,' zei de Zwarte Dame. 'Zodat
Ferdinand haar niet kon laten arresteren. Zodat ze de kans zou hebben haar sluwe plannetjes ten uitvoer te brengen! Door zielig te
doen, wilde ze jullie omkletsen en de baas over jullie worden.'

Theetje stak haar handen op. 'Nietes!' Ze wees naar de muur. 'Zij –
de Zwarte Dame – is degene die sluwe plannetjes heeft!'

Alsof het een sportwedstrijd was, keek iedereen nu weer naar de
Zwarte Dame.

'O ja?' schamperde deze. 'Wij zijn de leidster van Trots Op Ploenk,
het verzet tegen de bezetters van Ploenk. En wij zouden sluwe
plannetjes hebben? Pha! Het enige wat wij willen, is iedereen
bevrijden, en…'

'Waarom hebt u dan soldaten van prins Frederik bij u?' klonk weer
een andere stem. 'Een van de bezetters van Ploenk?'

De Zwarte Dame keek opzij. Een eind verderop links van haar
stond nu een tengere gestalte, in een met vegen aarde en blader-
groen besmeurde bruidsjurk. 'Catharina!' siste ze.

Er steeg een kreet van verbazing op uit de menigte.

'Kaatje!' riep Theetje. 'Je bent vrij!'

'Neem haar gevangen!' hijgde prins Frederik, die zojuist met grote moeite en met de hulp van vier soldaten naast de Zwarte Dame op de muur was geklauterd en nu stond uit te puffen in zijn benauwde harnas.

'We komen je helpen, zusje!' riep Kaatje.

Op dat moment verscheen ook Ouwe Bram op de muur, vlak naast Kaatje. '*Diable!* Wat heeft dít te betekenen?' riep de Zwarte Dame. 'Arresteer hen, onmiddellijk! Het zijn landverraders!'

Theetje greep het zwaard van de geknevelde Ferdinand. Ze sprong van het podium. De mensen waren zo beduusd dat ze als vanzelf uiteenweken om haar door te laten.

'En nu is het uit!!' riep Theetje, terwijl ze met grote stappen naar de muur liep en dreigend met het zwaard zwaaide. 'Kaatje en ik hebben zelf gehoord dat de Zwarte Dame niet alleen Ploenk zogenaamd wil bevrijden, maar ook dat ze Ghamarije en Lamaarwaaie wil inpikken!'

Om haar heen klonken verschrikte kreten.

'En wie is de Zwarte Dame eigenlijk?' ging Kaatje verder. 'Ze is zomaar uit het niets opgedoken, samen met die assistent van d'r. Hoe komt het dat ze zoveel weet van Ploenk en onze buurlanden?'

Theetje was nu bijna bij de muur gekomen. 'Ja, dat vraag ik me ook af.'

'Waar wachten jullie nog op?' De Zwarte Dame keek naar de soldaten. 'Snoer die twee de mond!' commandeerde ze. '*Directement!*'

Aarzelend kwamen enkele soldaten op Kaatje af, maar samen met Ouwe Bram mepte ze hen behendig van de muur nadat ze eerst hun zwaarden hadden afgepakt.

De menigte was tijdens hun gevecht steeds dichter bij de muur komen staan, om maar niets te hoeven missen.

De Zwarte Dame griste bij een van de soldaten een zwaard weg en duwde het in de onwillige handen van Zwarte Loper. Toen pakte ze voor zichzelf een zwaard van een andere soldaat. Met het wapen in de aanslag liep ze op Kaatje af. 'Moeten wij alles maar dan ook *alles* alleen doen?'

'Majesteit!' riep prins Frederik. 'Kijk toch uit!'

'Ja, hoogheid, pas op!' riep nu ook Zwarte Loper.

'Majesteit?' herhaalde het volk. 'Hoogheid?'

Er gebeurde nu zoveel tegelijk dat niemand er meer iets van begreep.

'Kan iemand me de muur op helpen?' riep Theetje.

'Ja hoor, hoogheid!' klonk het achter haar. Het was Joram, die zich een weg baande door de toeschouwers. Hij had een lange ladder bij zich.

'Baas!' riep Ouwe Bram. 'Fijn je weer te zien!'

'Insgelijks, kerel!' Hij zette de ladder tegen de muur, klom omhoog en hielp toen Theetje naar boven.

'Dank je wel,' zei Theetje. Toen ze op de muur stond, liep ze met het zwaard voor zich uit vanaf de rechterkant van de muur naar Kaatje, gevolgd door Joram. 'Ik kom eraan, zusje!' Eerst moest ze nog langs een handvol soldaten van Ghamarije en prins Frederik. 'Uit de weg!' riep ze.

'Theodora! Zo k-ken ik je helemaal niet!' zei prins Frederik ontdaan. Tevergeefs probeerde hij het roestige zwaard uit de schede te trekken. 'D-doe iets!' riep hij naar zijn mannen. 'Houd haar tegen!' De soldaten zwiepten met hun zwaard, maar Theetje sloeg de wapens uit hun handen, geholpen door Joram. Als een wervelwind danste ze om hen heen, dook onder hen door en sprong over hun hoofd, tot ze van voren niet meer wisten wat er van achteren gebeurde.

Ademloos keken de mensen vanaf beneden toe.

'Hup Theetje!' klonk het opeens. Dat was Bets.

Anderen volgden. Eerst nog zachtjes, toen steeds luider.

'Hup Theetje! Hup Theetje!'

In een oogwenk hadden Theetje en Joram de soldaten uitgeschakeld. Ze sprongen haastig van de muur af. Nieuwe klommen de muur weer op, maar ze kregen dezelfde behandeling en maakten dat ze wegkwamen.

'Tot nooit meer ziens!' riep Kaatje ze na. 'En zeg maar tegen jullie vriendjes dat ze onmiddellijk Ploenk verlaten! Anders gebeuren er

nare dingen met jullie kroonprins. Krijgt-ie de rest van z'n leven water en brood in plaats van wijn, taart en bonbons!'

Prins Frederik rilde toen hij zag dat er nu helemaal niemand meer stond tussen hem en Theetje, die in een gescheurde bruidsjurk, met een blinkend zwaard en een boze blik op hem af kwam.

'Majes… Zwarte Dame, hélp!' piepte hij. Hij klemde zich aan de Zwarte Dame vast, maar zij schudde hem walgend van zich af.

'Ga weg!' Ze spoog op de grond. 'Mannen, het zijn allemaal kwezels!'

De kroonprins probeerde zijn evenwicht te bewaren, maar het zware harnas trok hem omlaag en hij tuimelde ruggelings in de uitgestrekte armen van de menigte, die 'Vre-te-rik! Vre-te-rik!' scandeerde. Hulpeloos in zijn harnas ging de kroonprins van hand tot hand. Nu eens werd hij omhooggegooid en dan weer opgevangen door de joelende massa. Dit ging zo door tot hij uiteindelijk bij het podium belandde.

Bets en Sjaan pakten de ingeblikte prins beet. 'Vanaf hier nemen wij het over!' Samen met de andere vrouwen bonden ze de spartelende prins vast en zetten hem, ook met een prop in zijn mond, neer naast zijn aartsvijand.

'Laten jullie mij dan allemaal in de steek, stelletje lafaards?' zei de Zwarte Dame, terwijl ze met het zwaard om zich heen zwaaide naar Kaatje aan de ene kant en Theetje die naderde vanaf de andere kant. 'Zwarte Loper, waar ben je gebleven? Waar is Trots Op Ploenk?'

'We vertrouwen u niet meer, Zwarte Dame!' klonk het van onder haar, aan de kant van Ghamarije. Een groep in een pij gehulde figuren had hun kap naar achteren gegooid. 'U bent nooit van plan geweest om Ploenk te redden. Het ging u alleen maar om macht, dat is ons nu wel duidelijk. U bent de verrader, niet koningin Theodora en prinses Catharina!'

'En dit keer hebt u geen luchtballon om te ontsnappen!' riep Kaatje, terwijl ze de kap van de Zwarte dame naar achteren trok.

Er ging een golf van schrik door alle aanwezigen.

'Moeder!!' riep Theetje.

XXIV

Groot-Ploenk

'Vandaar dat haar stem ons bekend voorkwam,' zei Kaatje.

Theetje schudde verbijsterd haar hoofd. 'Wat doet ú hier!'

'Onze rechtmatige plaats opeisen, de troon van Ploenk! Wat anders, ellendig wicht!' De oude koningin keek naar de menigte aan haar voeten. 'Ondankbare honden! Jullie hadden burgers kunnen zijn van Groot-Ploenk! Met ons als jullie koningin.' Toen wierp ze een vernietigende blik op haar dochters. 'Maar jullie moesten zo nodig weer roet in het eten gooien!' Ze hief haar zwaard. 'Jullie krijgen mij niet zonder slag of stoot!'

De koningin deed een plotselinge uitval naar Theetje, die meteen terugsloeg.

Balancerend op de rand van de muur gingen ze zo heen en weer, waarbij de ene keer Theetje achteruit moest lopen en de andere keer de koningin.

'Ooooooooooo!' klonk het toen Theetje bijna viel.

Kaatje wilde haar te hulp schieten.

Theetje schudde verbeten het hoofd. 'Nee, Kaatje, dit gaat tussen mij en moeder!'

De koningin lachte smalend terwijl ze behendig een slag afweerde. 'Liefje, dacht je nou werkelijk dat je ons aan kon?' Ze maakte een pirouette en sloeg Theetje het zwaard bijna uit handen. 'Wij moeten toegeven dat wij onder de indruk zijn van je vechtkunst, maar...'

Voordat ze haar zin kon afmaken, zoefde Theetje onder haar door en prikte met het puntje van haar zwaard in de rug van de koningin. 'Geef u over!'

Grommend liet de koningin het zwaard vallen. 'Als je maar niet denkt dat dit het einde is, Theodora,' zei ze. 'Je kunt ons opsluiten, maar wij zullen ontsnappen. Je kunt ons verbannen, maar wij zullen terugkeren. Niemand houdt de koningin van Ploenk tegen! *Personne!*

'Handen op uw rug, moeder!' zei Kaatje, terwijl ze met een touw haar polsen vastbond. 'U bent de koningin niet meer. En nooit zal iemand u nog steunen, zeker niet na wat u vandaag hebt gedaan.'

Toen de koningin gekneveld was, gaf Theetje haar een zet. De koningin viel spartelend met haar benen in talloze grijpgrage handen, die haar net als prins Frederik naar het podium vervoerden.

'Wordt u toch nog op handen gedragen, majesteit!' riep Joram.

Bets en Sjaan zetten de koningin vervolgens tussen de beide prinsen. De drie keken elkaar nijdig aan.

Toen werden Theetje en Kaatje onder luid hoerageroep door vele helpende handen van de muur af geholpen.

'Waar is vader?' vroeg Theetje even later aan Kaatje.

'Die staat nog te wachten aan de andere kant van de muur, zusje. Ik zal hem nu meteen gaan halen.'

'En ik bedenk nog iets,' zei Theetje. 'Daarnet stond die Zwarte Loper nog naast moeder. Waar is hij opeens gebleven?'

'Hier is-ie!' Bets hield Zwarte Loper in een tanggreep vast. Naast haar stond een geschokte notaris. 'Hij probeerde het koffertje van Dorreboom mee te pikken,' zei Bets, 'maar ik kon 'm nog net in z'n kladden grijpen.'

Theetje liep naar Zwarte Loper toe en trok de kap van zijn gezicht.

'Lodewijk!' riep ze uit.

De lakei trok een lelijk gezicht.

'Ik had het kunnen weten!' bromde Ouwe Bram. 'Die slijmbal is nooit ver uit de buurt van z'n meesteres.'

'Vertel op,' zei Bets. 'Wat was jij van plan met het koffertje van de notaris? Zit er soms geld in?'

Lodewijk keek nors voor zich uit.

'Laat maar, luitjes,' zei Joram. 'Ik kan jullie alles vertellen!'

'En anders ik wel,' zei Kaatje.

Iedereen keek naar de muur. Kaatje stond op de rand, naast haar stond de koning. Samen hielpen ze iemand anders omhoog. 'Komt u maar, notaris.'

'Huh?' Ouwe Bram wreef in zijn ogen. 'Zie ik dubbel? En ik heb vandaag nog geen druppel gedronken.'

'Mag ik jullie voorstellen?' zei Kaatje toen ze samen met het mannetje voor hen stond. 'Dit is Dorreboom Twee, de notaris van Frederik. Ik vond hem vastgebonden aan een boom.'

Joram gebaarde naar de andere notaris. 'En dit is Dorreboom Eén, de notaris van Ferdinand.'

'Het is een tweeling!' riep de koning. 'Net als Catharina en Theodora. Maar eh waarom werkt de een voor Frederik en de ander voor Ferdinand?'

'Omdat de kroonprinsen heel in de verte familie van elkaar zijn, majesteit,' legde Joram uit. 'En de familie altijd met hetzelfde notariskantoor is blijven werken. Beide prinsen stammen af van de roofridder Izegrim.'

Prins Ferdinand keek vol ongeloof naar zijn verre achterneef.

'Vadertje Izegrim kreeg twee zoontjes die elkaar al vanaf het begin niet konden uitstaan,' ging Joram verder. 'Toen ze groot werden, gaf hij ze daarom ieder een deel van zijn rijk. Het ene deel lag rechts op de berg en het andere links...'

'Ghamarije en Lamaarwaaie!' zei Theetje.

'Precies. Izegrim begroef een deel van de schatten die hij geroofd had, maakte een schatkaart en scheurde die netjes doormidden. Hij hoopte dat zijn zoons ooit weer vriendjes zouden worden. Dan kregen ze allebei de helft van de kaart, zodat ze samen de schat konden vinden.'

'Maar dat is nooit gebeurd,' begreep Ouwe Bram.

'Nee, want talloze prinsen later wist niemand meer dat de kroonprinsen van beide landen familie waren. Op een gegeven moment hebben de heersers van Ghamarije en Lamaarwaaie ieder een nieuw testament laten maken. En daarin stond dat de kroonprins die het eindelijk zou lukken met een prinses van Ploenk te trouwen, de schat kreeg. Want ze wilden allebei heel graag Ploenk bij hun rijk voegen. Maar ze wisten niet dat ze een halve schatkaart zouden krijgen.' Hij keek naar Lodewijk. 'Onze listige lakei had het hele verhaal gehoord van de notaris en dacht zijn slag te slaan.'

Lodewijk bleef stuurs voor zich uit kijken.

Joram haalde een opgerold stuk perkament tevoorschijn. 'Dit had-ie bij zich. Gepikt van z'n bazin.'

De koningin, die inmiddels ook een prop in haar mond had gekregen, omdat ze was blijven schelden op prins Frederik, begon nu luid maar onverstaanbaar te protesteren en keek met een vuile blik naar haar lakei.

'En hier is de andere helft,' zei Theetje. 'Met toestemming van notaris Dorreboom Eén.'

'En ook met de mijne,' zei Dorreboom Twee.

Joram legde beide helften tegen elkaar. Ze pasten precies.

'Nu kunnen we de schat gaan zoeken!' zei Kaatje enthousiast.

'Jaaaaaaaaaaaaah' riep iedereen. 'De schat!!'

'Maar eerst gaan we nog wat anders doen!' zei Bets.

En even later stond Theetje in het midden van het podium.

De mensen bleven maar juichen. Na een tijdje stak Theetje haar handen in de lucht en het gejuich stierf langzaam weg. Verwachtingsvolle gezichten keken naar haar op.

Ze slikte even. 'Beste burgers van Ghamarije. En natuurlijk beste burgers van Ploenk, want jullie zijn hier ook. Opnieuw vraag ik jullie: willen jullie mij als koningin van…'

Weer steeg een luid gejuich op.

'Jaaaahhhhhh!!!'

'Theetje is onze koningin!'

'Weg met Ferdinand!'

'Hup Theetje!! Hup Theetje!!'

Theetje pinkte een traantje weg. 'Ik zal mijn best doen voor jullie een heel goede koningin te zijn. We gaan meteen aan de slag, want er moet veel gebeuren. Mijn eerste besluit is: de schat is voor het volk van Ghamarije.'

'Hoera! Leve de koningin!'

'Mijn tweede besluit is: weg met de muur!'

'Weg met de muur!' herhaalde iedereen.

Theetje stak een hand uit. 'Heeft iemand een houweel voor me?'

Meteen kwam er een man in een pij aan rennen. Hij sloeg zijn kap naar achteren. 'Namens het voormalige TOP bied ik u deze houweel aan, hoogheid,' sprak hij nederig. 'Neemt u ons alstublieft niet kwalijk dat we aan u getwijfeld hebben. We zullen het nooit meer doen.'

'Het is al goed,' zei Theetje. 'Geven jullie dan nu het goede voorbeeld?'

Dat liet het voormalige verzet zich geen twee keer zeggen. Onder luid gebrul en zwaaiend met allerlei werktuigen, gingen ze de muur te lijf. Toen volgden Kaatje, Joram en Ouwe Bram en de burgers van Ghamarije.

De koning en de adjudant, die zijn vermomming had uitgetrokken, keken geboeid toe hoe de brokstukken op de grond vielen.

'Het is net puzzelen,' zei de koning.

'Maar dan omgekeerd,' merkte de adjudant op. 'O ja, de hoogheden hebben voor u een fraaie puzzel meegebracht. Uit Oesbadoer.'

'Werkelijk?' De koning keek verheugd. 'Waar ligt-ie?'

'Komt u maar met me mee, majesteit.'

Ze keken om zich heen. Toen ze er zeker van waren dat niemand hen zag, slopen ze heimelijk weg.

Kaatje hakte er intussen lustig op los. 'Het doet me denken aan de keer dat iedereen in Ploenk de Hele Hoge Toren sloopte,' zei ze, terwijl de stukken ervan af vlogen. 'En jij koningin werd.'

'Ja,' glunderde Theetje. 'En nu word ik wéér koningin, dit keer van Groot-Ploenk!'

XXV

Afscheid

'Weet je het zeker, Kaatje?' vroeg Theetje een paar weken later. Ze waren in hun voormalige slaapkamer.

Kaatje knikte. Ze pakte een rugzak in. 'De reiskriebels slaan weer toe en Jorams mannen staan ook te popelen.'

'Maar ze zijn pas twee weken terug in Ploenk!' verzuchtte Theetje. 'En jij en Joram hebben hier toch ook een hoop meegemaakt? We hebben zelfs een heuse schat opgegraven. Wel twintig kisten tot aan de rand gevuld met edelstenen, zilver en goud, juwelen...'

Kaatje deed haar rugzak dicht en keek haar zusje aan. 'Dat is wel zo, maar de bergen beginnen ons een beetje te benauwen. We willen weer om ons heen kunnen kijken, de wijde verten zien. Reizen door onbekende landen, andere mensen ontmoeten. Nou ja, je weet wel wat ik bedoel.'

'Ja, ik snap het wel,' zei Theetje. 'Maar toch vind ik het jammer.' Ze zuchtte. 'Ik hoop maar dat we geen last meer zullen hebben van moeder en Lodewijk, en van de kroonprinsen...'

Kaatje sloeg de rugzak over haar schouder. 'Frederik is allang blij dat-ie zich weer alleen druk hoeft te maken om Lamaarwaaie en lekker bonbons kan snoepen. En nu Ploenk twee keer zo groot is, zal hij het niet meer wagen om hier binnen te vallen. En trouwen wil hij al helemaal niet meer!'

'Maar Ferdinand,' begon Theetje. 'En moeder...'

'We hebben hem en zeven-nul-nul op het vrachtschip naar Oesbadoer gezet. Die komt nooit meer terug. En hij geniet vast enorm van het gezelschap van moeder en Lodewijk.' Kaatje gniffelde. 'Misschien kunnen ze daar met z'n vieren een leuk handeltje beginnen op de markt.' Toen gaf ze Theetje een kus. 'Niet tobben, zusje. Bovendien heb je Ouwe Bram en de adjudant om je te helpen. En Bets als raadsvrouw voor voormalig Ghamarije.'

Kaatje liep de gang op.

Theetje rende haar achterna. 'Heb je vader al gedag gezegd?'

'Ja, maar hij was druk aan het puzzelen met de adjudant. Dus ik denk niet dat hij het gehoord heeft. Vertel het hem morgen nog maar een keer.'

Buiten stonden Koppige Kaatje en Globetrotter al ongeduldig te snuiven. De andere rovers hadden ieder hun eigen paard.

Joram stond naast Globetrotter. 'Gelukkig hebben de staljongens van Frederik goed voor onze paardjes gezorgd! Alleen die ezel is 'm gesmeerd. En m'n hoed is helaas ook foetsie. Nou ja, onderweg komen we vast wel een hoedenwinkel tegen.'

Ouwe Bram kwam er nu ook bij. 'Ik heb dat beest niet meer nodig, en ik ben blij toe. Goede reis, baas. En jij ook, prinses. Pas goed op jezelf. Vergeet niet af en toe een kaartje te sturen.'

'Doen we!' beloofde Kaatje.

Joram wilde net op Globetrotter klimmen toen hij geroepen werd. 'Meneer de Jolige, joehoe!'

Hij keek om en zag twee mensen op hem af komen. Een vrouw met slimme oogjes en een man met een bol, bleek gezicht.

'Stoffel en ik wilden u, en natuurlijk ook de raadsheer van de koningin, nog bedanken dat u Ploenk hebt bevrijd.'

'Graag gedaan, mevrouw Zwoertje,' zei Joram. 'Maar dat hebben Ouwe Bram en ik niet alleen gedaan hoor.' Hij gaf Theetje een knipoog. 'We hebben veel hulp gehad, vooral van hare hoogheid en prinses Catharina.'

Zwoertje en Stoffel maakten een buiging voor Kaatje en Theetje en gingen weer terug naar hun huisje.

Toen klommen Kaatje en Joram ieder op hun paard en even later was de vrolijke roversbende op weg naar een nieuw avontuur.

'Weet je, Ouwe Bram,' zei Theetje toen ze met z'n tweeën naar de steeds kleiner wordende roverskaravaan stonden te zwaaien. 'Eigenlijk ben ik best een beetje jaloers op ze.'

Haar raadsheer keek haar verbaasd aan. 'Jaloers, hoogheid?'
'Ja, ik geloof dat Kaatjes reiskriebels besmettelijk zijn. Wat denk je, zouden wij ooit nog eens op avontuur gaan?'
Ouwe Bram was even stil. Toen zei hij: 'Je weet maar nooit, Theetje.'
En samen luisterden ze naar het roverslied in de verte, dat zoals bij elk vertrek net weer iets anders was:

Wij zijn heel erg nette rovers,
we trekken van land naar land.
(En soms naar zee!!)
We houden alles grondig in de gaten
en pikken dan een glimmertje of twee!
(Holakidee!!)

Wij ontdoen de gulle gevers
met liefde van geld en goed.
(Geld en goed!!)
Dan drukken wij weer onze snor
en groeten precies zoals het moet!
(Zelfs zónder hoed!!)

Ja, wij zijn zo beleefd,
als men ons wat geeft!
(Ons wat geeft!!)
Wij zeggen: dank u wel!
Tot ziens en vaarwel!
(Vaarwel!!)